現代のサムライは
決してグローバリズムに屈せず

日本の戦闘者

荒谷 卓
Takashi Araya

ワニ・プラス

はじめに

この本の内容は、『ストライク・アンド・タクティカル・マガジン』（『ＳＡＴマガジン』）に、２０１９年５月号から２０２４年５月号までの５年間、コラム記事として連載したものを編集し直して１冊の本にしたものだよ。

コラム記事の連載期間、２０１９年12月から始まったコロナ騒動以来、世の中が急速に変化し出し、いまだかつて経験したことがないようなルールが世界規模で強制され始めたのは記憶に新しいところだと思う。さらには、２０２２年２月にロシア―ウクライナ紛争が勃発し、それまで他国の武力紛争には一切関わらなかった日本までが、今や米国経由でウクライナに武器供与までする、事実上の武力紛争当事者になり、台湾有事は日本有事だと言い出して戦争準備を始める状況になっている。憲法９条で守られている日本で戦後の平和が永遠に続くと思っていた人々にとっては、びっくり仰天の世の中になってきたろうな。でも、今年（２０２４年）からさらなる変化が起きて、本当にびっくりするのは２０２５年以降だぜ。まさかこんな世の中になるとは思っていなかったという状況になるだろうよ。

そうした世界の革命的変化、最近では「グレート・リセット」と呼んでいる人類初の完全支配体制への動きを予想していた人々にとっては、ついに来たかという感じだろう。

俺は1997年にドイツ留学から帰ってきて以来、そうした世界の動向を察知し、日本も大転換が必要だと思っていた。先ずは政府から変わらねばと、俺が直接関わることができる日本の防衛体制の転換に力を注いだ。しかし、特殊作戦群の創設等ごく一部の成果は得たものの、グローバリズムに組み込まれた戦後体制という強烈な仕組みには歯が立たず、根本的な問題は何も変えることはできなかった。

しかし、2004年に米国に留学して特殊作戦に関わり、新世界秩序(New World Order)構築の現場を見て、「こいつらは自滅するな」と感じ取った。欧州で始まり、長い歴史の中で極めて巧妙に進めてきた、世界の完全支配の仕組みは完璧に見えたのだが、最後は人間の慢心、油断、強欲そして詰めの拙速でしくじると確信したのさ。

残念ながら、戦後の日本は占領米軍によって完全に新世界秩序の中に組み込まれているため、仕組みを変えることができない。岸田総理が言っている通り、グレート・リセットに向けて全力を投入することになる。それが今日本で起きている全ての現象であり、これから起きる出来事だよ。

戦後の日本の仕組みが自滅するのはやむを得ないが、本来の歴史的文化集団である日本人まで、それに巻き込まれるわけにはいかない。潰れるべきして潰れていく廃墟の中にでも、ちゃんと日本再生の芽を育てておかなくてはならない。そう考えて、熊野飛鳥の地で百姓を始めた。

日本の伝統的文化共同体再生のための「農」「学」「武」だ。俺はそれを「熊野飛鳥むすびの里」で実践している。

そして、自滅していく戦後日本体制の中で、同じように日本の伝統文化を大切にしている人たちを少しでも生き残らせる必要がある。そのためには、現状と戦う気構えが必要だ。その気構えを備えた日本人を「日本の戦闘者」と呼んでいる。

この本では、既に日本の戦闘者として生きている人物だけではなく、自分が日本の戦闘者になろうと奮い立ってくれる人物を対象に、俺の考えを率直に伝えることにした。いいことばかりを文章で書き連ねて俺の考えだと言ったのでは無責任なので、前半（1〜21）は、俺の生き様を通じて体現してきた俺の考えを書いた。後半（22〜31）は、今何が起きているのか。何故そうなったのか。そして、どうすれば先祖がつくり上げ守り抜いた大切な日本を自分の力で保全し再生できるのか。そうしたことに関しての俺の見方と、これから俺が何をしようとしているのかについて書いてある。30年来こんなことを言ってきたもんだから、俺はずっと異端視されてきているが、世の中で起きていることはほぼ予想通りになっている。日本の戦闘者には少しは役に立つはずだから読んでもらいたい。

なお、俺の思いのたけをそのまま記事にしてくれた『SATマガジン』の浅香昌宏殿、さらに、この記事をまとめて書籍化してくれたワニ・プラスの佐藤俊彦社長には心から感謝したい。

2024年4月

荒谷　卓

1　日本の戦闘者

〈なんという獰猛な奴らだろう！

日本人ぐらい恐ろしいものはおそらくこの世に又とあるまい。

何たる超人間的の猛勇だろう！

何たる超自然的の不撓不屈だろう！

私は、しばしば、髭もないすべすべした不格好な、寝ぼけたような顔の、まるでドレスデンの羊飼いみたいな風采で三々五々と上野公園を散歩している奴らに出会ったこともあるが、奴らがこんなに狂暴な戦闘をやろうとは夢にも思わなかった。

この剽悍無比なる人種に対して、我々英国人も、フランス人も、ロシア人も、人間たる者から はなんら為すべき策もないのではなかろうか。

奴らの『死』と言う苦痛に対する観念は、我等が夕立にあって困るくらいにも思ってもいないのではなかろうか。〉

これは、日露戦争の折、ロシア第8軍団に従軍記者として随行していた英国人記者マッカラーの手記に記されたものだよ。

こいつが言うまでもなく、世界最強の人間、それが日本の戦闘者だ。

俺は、日本の戦闘者として生きることを自らの使命としている。

本書では、日本の戦闘者について、いろいろ書くことにする。

上記マッカラーの手記でもわかる通り、日本の戦闘者が何故に、英国人も、フランス人も、ロシア人も、ほかの全ての人間たるものを寄せ付けないかといえば、日本の戦闘者の「死」に対する観念がほかに類を見ないからだよ。

こんな話をすると、『葉隠』の〈武士道といふは、死ぬ事と見付けたり。〉を思い起こす人もいるだろう。そして、それは死を美化し目的化する愚かで古い武士道精神だとして卑下してきたのが戦後日本の啓蒙教育だよな。

啓蒙教育とは、特定の価値観を植え付けることを目的とする。いわゆる、国家的マインド・コントロールだな。自由だ平等だと言いながら、テストや試験のように、あらかじめ決まった答え以外は認めないという思想統制のようなもんだ。

奴らが、何故、日本人の武士道精神を否定するかといえば、マッカラーが指摘するような、おっそろし~日本の戦闘者が存在してもらっては困るからだろ。つまり、日本の弱体化を画策したマッカーサーの占領政策の中でも、特に重要な目標の一つである日本精神文化の破壊の核心だからだよ。

残念ながら、その目論見（もくろみ）は成功しなかったよ。何故なら、俺が存在しているからな。そして、俺と同じ日本の戦闘者が息をひそめて今なお生息しているからな。

日本の戦闘者が世界最強なのは、「死」を美化し目的化しているからではなくて、「生き様」を美化し目的化しているからだぞ。

『葉隠』が言っているのは、自分の身体の損得で、大事なものを捨てるなということだ。自分の真心を大事にしろ！　ということなんだよ。

自分が本当に正しいと信ずることを実行すれば、いろんなやばい状況に出くわすよ。変人扱いされるとか、地位を失うとか、職を失うとか、経済的に食っていけないとか、しょっ引かれるとか、死んでしまうとか……。

だとして、どうすんだ？　正しいことを捨てて身を守るのか？　そんなことをすればやばいと分かっていても正しいことは貫き通すのか？

欧米が近代に発明した合理主義では、身を守ることを第一と教えてるんだ。自分の命を守る、自分の安全を確保する、自分の財産を守ることこそが最も大事なことだと教えてるんだな。いわゆる人権というやつだ。だから、自分の財産のためには平気で人を殺すよな、奴らは。

個人の権利とか言っているのは、どれもこれもてめえの肉体のことだよ。命も、安全も、財産も全て物質としての身体に係る権利を主張しているんだ。真心を捨てても身体が大事という価値観だ。みんなが学校で習ってきたのは、現行憲法に書かれたこの人権主義というやつだ。

俺たちの考えは違う。真心を大事にしろ！　世のため人のために力を尽くせ！　勝ち負けはどうでもいい、正しいと思ったら戦え！　スーパー非合理主義だ。

だから超つえ〜んだ！　殺されてもギブアップしね〜から絶対負けね〜！　負けね〜ってことは無敵ってことだ！

大事なのは、自分の身体のために心を殺して生きるんじゃなくて、自分の心を大事に生きること。身体は、真心を貫き通すために与えられた道具だ。生きている間、心を守り抜くために大事に使い切るんだな。そうすれば、意義のある人生になるよ。

俺も２０１９年（平成31年）に還暦を迎えたけれど、戦闘者には、現役引退も、定年退職もないんで、爺（じじい）になっても生涯戦闘者だ。２０１８年、熊野市飛鳥に引っ越したのも、真心に従って生きていくためだよ。「熊野飛鳥むすびの里」ってところで、仲間と共に日本人を全うするよ。

俺にとっての国防は、主権、領土、国民なんていう欧米の奴らが人の国を強奪することを正当化するために発明した概念なんかを守ることじゃね〜な。日本人を全うしていれば、自ずと自分自身が日本の一部になる。だから、俺の内にある日本を全うすることが、俺の国防だよ。

俺は死ぬまでそうやって生きていくつもりだ。

2 サムライ

日本の戦闘者の呼び名として、一般的なのは「武士」だろうか。「武士」というのは、天皇および天皇の子孫たる武家の棟梁から認められた武装官人のことだよ。武家の棟梁とは、天皇の子孫でありながら、臣籍降下した「桓武平氏」「清和源氏」「敏達橘氏」等であり、これに忠義を尽くす家族的共同体の成員が「武士」だよ。これら武家棟梁と呼ばれる「平氏」や「源氏」は、10世紀に生存した平高望、源経基等を祖とする。橘氏は、さらに歴史が古く8世紀に生存した橘諸兄が祖にあたる。

武士以前の日本の戦闘者は、天皇から「朝臣」や「宿禰」という姓を与えられていた。「朝臣」や「宿禰」は、大変高い官職で、後の「武士」と同じように天皇に命じられて、軍事・治安のみならず政治、司法、行政も司っていた。

ところで、中国人は、今も昔も周りの国を侮蔑する癖があるようだが、昔は「大和国（ヤマトコク）」をわざと「夜摩苔・邪馬台国」とか、「日ノ御子（ヒノミコ）」を「卑奴・卑弥呼」等と蔑んだ漢字を当てて表現していた。その「魏志倭人伝」で卑弥呼と称される倭国の女王と漢人が呼んでいたのは、第一四代仲哀天皇の后宮神功皇后である、というGHQによって歴史改ざんされる前の説が歴史的にも年代的にも正しいと俺は確信しているが、この神功皇后が、自身の子誉田別尊の摂政（『風土記』では「天皇」と記載）として北九州に行宮を移し、武内宿禰をして三韓（新羅、百済、高句麗）征伐を成し遂げさせたわけだ。だから、第一六代仁徳天皇（即位313年）から、第三八代天智天皇（即位661年）が白村江の戦いで敗れて朝鮮半島から後退するまでの間は、日本が朝鮮半島に統治権を有していたことは、中国南朝の『宋書』「東夷伝（倭国条）」に記されており、第一九代允恭天皇（即位412年）は、宋から「使持節、都督倭、新羅、任那、加羅、秦韓、慕韓六国諸軍事、安東大将軍」の称号を授けられたとある。この頃の朝臣、宿禰と呼ばれた日本の戦闘者は、外交、戦争、海外統治等の国際政治も任されていた。

この「朝臣」や「宿禰」の戦闘精神を受け継いだのが武士であり、武士道という日本の思想・哲学は、武士が生まれる以前から存在した。

ところで、よく武士道と騎士道が比較されることがあるが、両者は根本的にその性質が異なる。

西欧の騎士道は、教会が軍隊を保有するに際し、元々貴族の奴隷であった戦闘者に対して、騎士の名称と引き換えに宗教者としての道徳律を強要したものだよ。例えば、騎士道文学の研究者ゴーティエの掲げる騎士道の「十戒」では〈不動の信仰と教会の教えへの服従〉〈我らの信仰心と良心を抑圧・滅失しようとする異教徒に対する不屈の戦い〉と記してあり、テンプル騎士団に対して聖ベルナールが著した「騎士道精神」では、〈キリストの兵士が剣を持ち歩くのは、邪悪を懲らしめ、正しい者の栄光のため〉と記してある。つまり、騎士道とは、雇用者である教会から与えられた他律的規則なんだな。

これに対して、日本の武士道は、他者から与えられる服従規範ではなく、自律的に確立する道義規範なんだよ。宮本武蔵の『獨行道』に曰く〈世々の道をそむく事なし〉〈よろづに依怙の（他を頼む）心なし〉〈身をあさく思い世をふかく思ふ〉云々、山岡鉄舟の「修身二十則」に曰く〈嘘を言うべからず〉〈君の御恩忘れるべからず〉〈父母の御恩忘れるべからず〉〈食する度に農業の艱難をおもうべし、草木土石にても粗末にすべからず〉云々、楠正成の『壁書』に曰く〈君の爲に身を捨つるを忠と云ふ〉〈倹約を専とし奢りを慎み、人の非を見て我身の行を正すべし。我、愚なる故に壁書して愼とするのみ〉云々等だ。全て自分で自分に課した生き様の戒律で、他人の言葉に従うものではないんだよ。

だから、騎士道は、雇用者である教会と貴族が、革命によって軍権を失うと同時に一瞬にして消滅した。しかし、武士道精神は、その自律性故に武士がいなくなってからも継承された。このような自律した道徳規範をもって自らを厳しく律する武士道精神は、今や国際的に高い評価を得、フランス等では国策として青少年教育に取り入れられている。

日本の戦闘者の社会的地位が、歴史的に高位にあったのは、「武士道」のような高い道徳規範を身につけ、我が身を犠牲にして「世のため人のために力を尽くす」ことを武人の道としたからだ。

ただし、この戦闘者に公職としての地位を与えるのは常に天皇である。明治の時代、帝国陸海軍の統帥権を天皇が持っていたが、これは日本の歴史では当たり前のことなんだ。足利氏や徳川氏の征夷大将軍の地位も、豊臣秀吉の関白の地位も、北条氏の執権の地位も全て天皇から与えられた公職だろ。天皇が認めた軍に反旗を翻すと逆賊と呼ばれたんだ。だから、日本ではいくら政府の軍隊であっても天皇が認めた軍に対抗すれば逆賊なんだよ。

天皇に仕える戦闘者をよく表す言葉に「侍」がある。「侍」の言葉の起源は、『日本書紀』の神代の中に記されている。〈天照大神、天児屋命・太玉命に勅すらく、惟はくは、爾二神、亦た同じく殿の内に侍ひて、善く防ぎ護ることを爲せと〉

天照大神が、天孫降臨の際に天皇の子孫である瓊瓊杵尊に同行する天児屋命・太玉命に対して、天皇の防護の任務を与えた際に、その職務を「サムライ」と勅したからだ。

そして、天児屋命の子孫である中臣鎌足は、この任務があったからこそ、天皇の地位を奪おうとする蘇我入鹿を誅殺した。これが、飛鳥時代645年（乙巳の年に起きた）乙巳の変である。

俺が稽古を積んだ、鹿島神流は、同じく天児屋命の子孫である鹿島神宮神官の國摩真人が、武甕槌神の祓太刀を「神妙剣」として顕現したものである。鹿島神流の目的とするところは、

「倒敵破邪の愉悦を好むものに非ず。天下御治召し給う天皇陛下の大御心に副い奉るの士を培うに在り」。つまり、天皇の大御心を守護する日本の戦闘者を育成することが目的なのだ。

最近は、「サムライ・ジャパン」とか、チャラい印象がある「サムライ」という言葉には、実は、日本の戦闘者としての本質的意味が込められているんだよ。

現在の自衛官は、ほかの公務員と同様、自衛官に任命されるときに「服務の宣誓」をするが、これは、西洋の騎士の儀式の模倣だな。法規に書かれてある文言、すなわち、雇用者から与えられた規範を復唱して自衛官に任官する。そして、思想や活動を厳しく監視制約され、命令に服従して戦えと言われる。これじゃあ、まさに奴隷的戦闘者だぜ。とても日本の戦闘者とは言い難い。さらに戦後、天皇と自衛官との絆は断たれた。自衛官は、政府の戦力でありながら天皇から認証されていない。天皇に認証されない国家の戦闘者集団は、日本の歴史上初めてのことだ。

かくのごとく、現代の日本国民は、日本人としての歴史を記憶から消し去られ、外来思想に侵され何の疑念も持たずに暮らしている。外来種と化した日本国民の中からは、世界最強の日本の戦闘者は生まれてこない。

もし、日本の戦闘者でありたいのならば、先ずは、失った日本人としての歴史の記憶を取り戻し、自分が何者であるかを自覚することが大切だよ。

3　大丈夫こそ救世主

現下の日本は、国際秩序はもとより自国の憲法さえ自ら確立することを放棄して、与えられたルールの中で、プレイヤーとしてうまくやっていくことに専念している。しかし、所詮(しょせん)プレーヤーは、ルール・メーカーの掌で踊るだけだよな。

市場の自由競争を単純な経済競争と考え、経済政策と経済活動だけで勝負したところで勝ち目はない。自由競争とは、軍事力も含むあらゆる力を自由に行使してルール（法秩序）を創った者が勝つようになっているわけだ。だから、「武」を無視した経済も政治もない。いい意味でも悪い意味でも、「武」なくして秩序の構築は不可能なんだよ。

ここでいう「武」とは自らの思考と行為に関して主体的に規範を確立する気概と実力のことだぜ。自ら価値規範を確立し、それを実践するところに日本の戦闘者の最も大事なものがあるんだ。

当然ながら、自らの人生を全うする価値規範を主体的に確立し実行するためには、勇気と胆力がいる。日本の戦闘者の精神とはこの勇気と胆力のことだ。この精神を「ますらお」という。その語源は、神武天皇の長兄である五瀬命(いつせのみこと)が自らを「ますらお」と呼んだのが始まりだ。

以来、神武天皇と共に東征に加わり、大和建国に貢献した大伴(おおとも)氏、佐伯氏等も、自らを「ますらお」と自負している。この「ますらお」という大和言葉に漢字を当てて「益荒男」とする場合は猛々しい容姿を表現し、勇ましい精神を表現するには「丈夫」とする。その精神が著しく優れている者は「大丈夫」と表す。

つまり、武士道精神の根幹は、何時如何なる状況にあっても「大丈夫」の気概を体現できる者のことなんだ。

奈良時代の宿禰（武人）大伴家持は、大丈夫とは如何なる者かを『万葉集』に和歌で綴っている。「海行かば」の歌の原文だな。

大伴の　遠つ神祖の　その名をば　大来目主と　負ひ持ちて　仕へし職
海行かば　水漬く屍　山行かば　草生す屍
大君の　辺にこそ死なめ　かへりみはせじと異立て
大夫の　清きその名を　古よ　今の現に流さへる　祖の子どもそ　大伴と　佐伯の氏は　人の祖の　立つる異立て　人の子は　祖の名絶たず　大君に　まつろふものと　言ひ継げる　言の官そ　梓弓　手に取り持ちて　剣大刀　腰に取り佩き
朝の守り　夕の守りに　大君の　御門の守り　我をおきて　また人はあらじ　といや立て思ひし増さる

簡単に言えば、俺さえいれば日本の守りは大丈夫という気概だな。

また、鎌倉時代の末、幕府の腐敗を憂いて、時の執権北条高時討伐を決した後醍醐天皇だったが、反対に幕府の圧倒的武力の前に、京を脱出し笠置山に身を隠された折、楠正成を御召になった。その際、天下の情勢と幕府に勝つ術ありやとの後醍醐天皇の御下問に対し、楠正成は次のように答えた。

「北条高時の大逆、天誅いたすに仔細なし。天下草創の業は武略と知謀の二つ。勢力では勝つこと得がたいが、謀ならばおそるに足らず、合戦の習いにて、一端の勝負のみをお気に召されるな。正成一人なお生きていると聞こえ召せば、聖運ついに開かれるべしと思し召せ」と。

正成一人生きていれば、後醍醐天皇の思いは必ず達成できるとの「大丈夫」の気概を示したのである。そして、事実、誰もができるはずもないと思っていた鎌倉幕府の転覆を、正成はやってのけた。

さらに時を経て江戸幕末、官軍と徳川の関係が隔絶の中、徳川慶喜は恭順し、江戸城明け渡しの意を西郷隆盛に伝える使者として山岡鉄太郎を呼び出し、忠臣であるべき征夷大将軍たる自分に朝敵の命が下ったことを落涙して嘆いた。これに対し山岡は、「何を弱きつまらぬ事を申さるるや。謹慎とは偽りで何かほかにたくまれし事でもあるべきか」と問い質した。すると徳川慶喜は「別心はなし、如何なることにても朝命に背かざる無二の赤心なり」と答えた。この段に及んで山岡は「真の誠意を持って謹慎のことなれば、朝廷へ貫徹し疑義の念を氷解するは無論なり、鉄太郎においてその辺はしかと引き受け、必ず赤心の様尽力いたすべし。鉄太郎、いかいかいかいかいかい、目の黒き内は決してご配慮あるまじき」と断言した。義兄・高橋泥舟の推挙で、将軍に呼ばれて参上した一幕臣の鉄太郎が、将軍に対して「将軍は俺に嘘をついてるんじゃないのか？　本心は何だ」と質し直すんだぜ。かっこいいよな。

そして、既に江戸総攻撃の官軍の先鋒が品川まで到着し、桐野、篠原、村田等薩摩の猛将がその中に在るところを「朝敵徳川慶喜家来山岡鉄太郎、総督府へまかり通る」と大音上げて通り抜け西郷隆盛と面接し談判して江戸無血開城の任を果たす。

後に西郷隆盛はこのときの山岡のことを「命もいらず、名もいらず、官位も金もいらぬ人は、仕抹に困るもの也。此の仕抹に困る人ならでは、艱難を共にして国家の大業は成し得られぬなり。去れども个様の人は、凡俗の眼には見得られぬ（中略）道に立ちたる人ならでは彼の気象は出ぬ也」と記しているよ。

楠正成にしても、山岡鉄舟にしても、一人の「大丈夫」の気概と行動が歴史を動かしたんだ。

日本人の大丈夫の気性は、近代以降も戦争において遺憾なく発揮されている。先に書いた日露戦争時の日本の戦闘者の勇往な戦い方しかり。また、大東亜戦争時も日本人の不撓不屈の戦いぶりに、硫黄島で圧倒的に優勢な米海兵隊が、飯も弾薬もない日本兵に戦闘で負けた。物量と兵力量で圧倒していた米軍は、かろうじて硫黄島は占領したものの、日本本土が近付くにつれ日本兵の抵抗は凄まじさを帯び、米兵は恐怖して精神障害者が急増し戦えなくなった。そこで、原爆を落とし日本人無差別大量殺戮(さつりく)をしたり、米国大統領ルーズベルトはヤルタ会談で日本の領土提供を約束してソビエト軍に対日参戦を懇願したのだ。本土決戦まで持ち込めば確実に日本が勝てたことは、後のベトナム戦争を見ればわかるだろう。

この日本人の精神力が現在の日本の抑止力になっている。日本が今平和であるのは、決して平和憲法、あるいは日米同盟のおかげではない。憲法に戦争放棄を書けば平和を獲得できるのならほかの国々も同じ文言を自国の憲法に定めるはずだが、日本の憲法を真似した国などはない。また、同盟関係の有効性は国際政治によって変化する。歴史的に親中派の多い米国は、日本より中国が将来性があり、重要だと見ている。国益を常に優先する冷徹な国際政治の歴史を見ずに、希望的に日米同盟が日本を守ってくれるなどと考えているのは思考を停止した米国信仰というカルト信者の連中だ。

我々日本人の祖先が歴史に残した凄まじい戦い方こそが、日本の抑止力なのだ。それを体現できる「大丈夫」の精神を持った日本の戦闘者こそ、日本の救世主なんだぜ。

4 楠公

俺が、日本の戦闘者として、第一に挙げるとすれば大楠公こと楠正成だよ。その精神、行動、生き様全てが第一等の日本武人であり、世界にも類を見ないほどの戦略思想を持った戦闘者だ。大楠公は、鎌倉時代の末から南北朝時代に生をなし、大阪府南河内郡千早赤阪村を基盤とした橘氏の子孫と伝わる。先ずは、その戦略思想から見てみる。

戦略論と言えば、世界的にはプロイセンのクラウゼヴィッツの『戦争論』と中国の『孫子』が有名だが、いずれも政治的意思の対立関係にある相手に対し、敵は敵、味方は味方という対立的発想の域を出ていない。

これに対して、大楠公の戦略は、政治的意思の対立関係そのものの転換にまで目を向けている。簡単に言えば、敵を味方にすることを最良とする戦略を具体的に説いているのだ。

例えば西洋のチェスが敵の全ての駒を取り去ることを勝利としているのに対し、日本の将棋は敵の駒を取って味方につけ、相手の「玉」を追い詰め、数手前で降参させるのに似ている。

「大楠公遺訓」から彼の軍略の一部を紹介する。

〈兵を学ぶ法は、心性を悟り庶民を親愛するを上とし、計謀によって学ぶを中とし、戦術をむさぼり習うを下とする（中略）。

将に徳あるときは、敵の民我民となり、敵の兵必ず我兵となり、敵の民我民となる。

将に智あるときは、敵の謀我謀となし、敵の利もまた我利となる。

将に勇のあるときは、敵の威我威となり、敵の能我能となる。

この三徳を以て、明らかに方法を明察し、敵の謀に乗じて、却ってこれを覆す、これ名づけて上将の軍法とす。

中将は、自らその徳を積まず、その功を求め、ただ敵の謀を察し、その計略を欺き、我謀を多くして、敵を殺さんことを用いて、敵の生するところを知らず、十度戦いて十度勝と雖も、未だかつてその太平を知らず、これ中将の法なり。

下将は、ひとえに戦いを好んで、利を争い、士民を使うに怒りを以てし、人を従えるに専ら殺罰を用い、己の勢いを頼んで敵の智謀を悟らず（以下略）〉

大楠公が〈上将〉としたのは、〈心性を悟り庶民を親愛する〉兵法、つまり優れた将の戦略として、庶民との一体こそが最も大事だというのだ。国が弱体化し滅びるときは、国を統治する者と国民の思いが大きく乖離するものだ。統治者が自己権力の維持のため国民の意思を無理やり一致させる常套手段としては、国の外に共通の敵をつくることだが、これは国家を疲弊させ破綻させる。統治者は、国の向かうべき理想を国民と共有し、国民の生活実情とその思いに真摯に対応しなくてはならないのだ。これは、現在の日本を見ればよくわかるだろう。政府と国民の心は大きく乖離し、国民の生活実情を省みず国の外からの要請に従って政策を強行する。挙句の果ては、日本の目指す方向はグレート・リセット後の社会だと言い、中国だとかロシアだとかの脅威を煽って戦争準備までやり出して国家破綻へとまっしぐらに突き進んでいる。

「中」の将は、徳も智も勇もバランスが欠如しているものだから、仮に戦で十戦十勝しても、国を豊かにして世の中を平和にすることなどできない。米国が進めてきた対テロ戦略がこれに該当する。米軍はテロ対策の戦術として対反乱作戦（COIN〔Counter Insurgency〕）で対処し、民衆を味方につけようという構想を示してはいるが、彼らが現地で実際にやっている作戦行動は、味方まで敵に回すような行為が多い。米軍は、対テロ作戦と称して、他国の住民の家に武装して押し入り、不審者を拷問し、無関係の人まで巻き添えにして殺傷し、住民の恨みを買っているのだ。これでは、自らテロリストを養成しているようなものだ。

「下」の将に至っては、調和どころかあたりかまわず戦いを仕掛け、対立をつくるばかりで、結局は自滅すると楠正成は指摘しているが、現在のイスラエルのネタニヤフ首相はこの範疇だろう。何故、普通の人々が自爆テロのような行為に走らざるを得ないのかという原因を考えず、ただその行為を批判しても、問題は解決しないのだ。

大楠公の素晴らしいところは自分の軍略を自分で実践し、成功していることだ。当時の鎌倉幕府は、蒙古を除けば世界最大規模の軍事力を動員できた。現に、当時世界最強であった蒙古軍の度重なる侵略を実力で跳ね返したのは、世界で唯一鎌倉幕府の下に統合された日本軍だけである。その鎌倉を相手に政府転覆を成し遂げたのが楠正成である。しかもその兵力は1000人にも満たない。

その力の源は、天皇への忠義である。こうして、後醍醐天皇の「建武の中興」が始まるが、公家が政治の実権を握ったことに反発した足利尊氏らが謀反を起こす。この足利勢を北畠顕家卿を鎮守府大将軍として楠正成や新田義貞らが九州へと追い散らした。

しかし、いったんは九州に敗退した足利勢が勢力を回復して再び京へと進軍。大楠公は情勢を冷静に判断し、戦に勝ち目なく後醍醐天皇の京脱出を奏上するが受け入れられず、必敗の戦へと出陣する。大楠公は自ら確信して奏上した建策に固執せず、ただ朝命のまま忠順に必死必敗の地に赴いたのだ。

朝廷のために現実的戦果を挙げる合理性より、必死必敗の戦いに命を捧げる厳たる忠誠を守る道を選んだ。勅命は一切の賢愚の判断に超絶するとの信条、これが大楠公の忠義である。

この折、嫡男正行公（10歳）に「生きて会えるはこれが最後。父が討ち死にすれば天下は尊氏になびくだろう。しかし、身命生き残らんがため忠烈を失い降参することのなきよう、一族全員義を貫き忠に死せ。これが汝の第一の孝行である」と諭して訣別した。

そして、数万の大軍で押し寄せる足利軍から包囲されかけた南朝軍主力の新田勢を離脱させるために、数百の部下を従えて敵の指揮官足利直義に向かい突撃、敵勢のど真ん中で全滅するまで半日戦い抜き、最後は弟楠正季と刺し違える。

この時の楠兄弟の死に際の言葉が素晴らしいんだ。

正成公「一生の最後の存念は大事。最後の願いは何か」

弟正季はカラカラと笑って答えた。

正季公「七生まで唯同じ人間に生まれて朝敵を滅さばやとこそ存じ候へ」

正成公「我も斯様に思ふなり。いざさらば、同じく生を替えて此本懐を達せん」と。

大楠公最後の処は、現在、神戸市の湊川神社となっている。

大楠公の嫡男楠正行（小楠公）は、父の教えをよく守り、10年に亘り楠軍を束ねて後村上天皇に仕えた。奈良の吉野から大阪の住吉まで攻め上ることもあった。

しかし、「もう少し待てば足利勢は内紛により自壊する」との正行の進言にもかかわらず、公家たちが拙速の攻撃を強行したため、父と同じように必負の戦いに赴いた。

出陣にあたり、楠軍全軍を吉野如意輪寺に集結させ、「返らじと　かねて思へば　あづさ弓なき数にいる　名をぞとゞむる」（かねてより父正成と湊川で忠義に殉じた楠勢皆のもとへ還ることを思っていたが、ようやくその数の中に加わる時が来た、ここに弓を携える武人として名をとどめ、いざ出陣する）との辞世の歌を弓矢で木戸に切り刻んだ。

戦勝は捨て、狙うは敵将高師直ただ一人。

圧倒的に不利な戦況にもかかわらず、猛攻に猛攻を重ね、ついに師直の首を落とすもそれは影武者上山六郎左衛門。その後も、敵から浴びた弓矢を全身に突き刺したまま阿修羅の戦いを続け、父兄弟（正成、正季）と同じように弟楠正時と共に刺し違えて、忠孝に生きた二十歳の人生を終える。

小楠公最後の処、大阪府四条畷市に小楠公御墓所が祀られている。

5 「死」の捉え方

日本の戦闘者が、何故に強いか。それは、「死」に対する考え方に由来する。

『太平記』に出てくる村上義光という武将がいる。後醍醐天皇の第二皇子大塔宮護良親王に仕え、奈良の吉野で壮絶な討ち死にをした武将である。皇子の最後は、足利尊氏の弟直義に捕らわれ獄中で殺害される。大塔宮は、生涯常に第一線で、鎌倉方に対し戦い抜いた皇子である。

その大塔宮は、楠正成が千早城で戦っている頃、僅か二十数名の部下と共に吉野山金峯山寺において、二階堂道蘊率いる数万からなる鎌倉幕府軍に包囲され、土煙を上げ荒れ狂ったように戦っていた。しかし、さすがに退路も断たれ、これが死地と決めた大塔宮は、鎧に矢を刺し顔も四肢も血だらけになったまま、吉野山の蔵王堂の前の大庭で部下と共に最後の酒宴を催した。そこへ、敵との混戦の中、仲間の酒宴の歌を聞きつけた村上義光が参上し、「ここで守り通すことは不可能、敵の手の一方の囲いを破って宮は落ち延びてくだされ。ついては、恐れながらお召の直垂と鎧兜を拝領いたす。敵の追っ手はこの義光が引き受けます。敵を欺き宮のお命の代わりとなりましょう」と言った。これに対し大塔宮は「共に討ち死にをする」と言うが、村上義光はこれを押し切って吉野山勝手明神の前の南から息子義隆を警護に就かせて脱出させた。そして、自らは大塔宮を名乗って敵に向かって大音声を上げる。「我は、天照大神の子孫、神武天皇以来95代の後醍醐天皇の皇子、一品兵部卿親王尊雲。逆臣のために滅ぼされ、恨みを次の世で報ぜんとして只今自害する。その有様をよく見て、汝らが武運尽きて腹切るときの手本にせよ！」と言うなり、鎧を脱いで投げ下ろし、腹に刀を突き立てて、一文字に脇腹まで掻き切った上に、腸を掴んで櫓の板に叩きつけ、太刀を口にくわえて敵中に飛びかかるように飛び落ちて見事自決した。鎌倉方がこれに怯んでいる間に、大塔宮は無事に吉野から高野山に抜け、後の鎌倉幕府転覆に繋がる。この際、大塔宮の警護に当たった息子村上義隆も、宮を守って獅子奮迅の戦いの挙句、父の死に所から1㎞ほど離れた場所で満身創痍となり自刃した。

大東亜戦争中の1944年9月、台湾特別志願兵を含むモロタイ島守備隊の諏佐正吾曹長は、米軍の集中砲火により腹部盲貫銃創（銃弾が突き抜けないで、体内にとどまっている傷）を受け気絶した。そのまま、米軍兵士に運ばれ米軍野戦病院で銃弾摘出手術を受け、2週間意識不明のまま病床にいた。ようやく意識を取り戻した諏佐曹長は、同じ野戦病院にいた台湾志願兵から、受傷からの経緯について説明を受けるや否や、「受傷し意識不明の間のこととはいえ、敵米軍の手に在って生き恥さらすは日本軍人としてこの上なき恥辱なり」として、縫合された傷口を自ら指で裂き、内臓を掴み出して絶命した。これを見た台湾特別志願兵は感動し自らも日本兵として戦ったことを誇りに思い、米兵は顔面蒼白となり気絶者まで出た。

今頃の日本人は、このような話をすると「なんと野蛮な」とか「無駄死に」とか言うだろうが、それは間違っている。

「1」で紹介したが、日露戦争で乃木将軍の指揮する日本兵の戦闘を見た英国人従軍記者は驚愕し、

〈なんという獰猛な奴らだろう！

日本人ぐらい恐ろしいものはおそらくこの世に又とあるまい。

何たる超人間的の猛勇だろう！

（中略）

この剽悍無比なる人種に対して、我々英国人も、フランス人も、ロシア人も、人間たる者からはなんら為すべき策もないのではなかろうか。〉

と手記に記録している。観戦者ですらそうなのだから、実際に日本兵と戦っている兵士たちは恐ろしく怖かったろう。それ故、203高地以降、乃木が戦場に現れたという噂だけで戦場の魔神が現れたと恐れ慄き、ロシア軍は戦うことなく退却し、ついには降伏したわけだ。

大陸で終戦まで中国兵相手に戦っていた元日本兵の方も「中国兵は、こちらの100倍もあろうかという勢力でじわじわ包囲してくるんだけど、こっちは充分近づくまで昼寝して待ってたよ。だいぶ間合いが詰まったと思ったら、突撃ラッパ吹いて攻撃すると、奴らはパッと逃げ散っていく」と教えてくれた。

私の知り合いの元ＯＳＳ（Office of Strategic Services＝戦略情報局、ＣＩＡの前身組織）の米国人も言ってたよ、「(中国で対日謀略活動を行っていた私は）あの戦争以来、毎晩、恐ろしい日本兵の夢にうなされていた」と。

戦場では、数の論理や戦理戦術だけじゃなくて、「死」と直面する人間心理が大きく働く。概してガタイの大きいキン肉マンは、自分が攻撃しているときはやたら強いが、一転して自分がヤバくなるとあっさりギブアップしてしまう。ましてや殺し合いの場合はこれが顕著になる。米軍のような巨大な軍隊では兵士が「死」を覚悟することは少ない。ところが、ゲリラ攻撃やテロのような予測困難な「死」を意識した途端、戦場ストレスに負けてしまう。「死」の覚悟の仕方によって、持っている力を出し切れたり、何もできないまま終わったりするわけだ。

そこで、欧米人の「死」の捉え方と日本人の「死」の捉え方を歴史文化から見比べてみよう。

西欧のキリスト教全盛時代、ゴッドと人間は一対一の関係なので、人間個人の存在をゴッド以外の他の存在から完全に峻別(しゅんべつ)して考えた。

個人は死んでもその魂が永遠に個人であり続けるとして死後の救済をゴッドにすがった。つまり、「死」は「個」にとっての神の救済の審判が下される極めて受動的な「死」であり、死後に及んでも自己の救済以外の積極的な意味を持たない。また、宗教的教義から解放された近代以降は、個人の存在を他から独立した絶対的価値としたものだから、「死」は個人にとって世界の終わりのようなものである。だからみんな「死んだら終わりでしょ！」などと当たり前のように言う。これが死を極度に恐れる理由となる。

日本文化の「死」の考え方は、これとは異なる。日本民族の宇宙観・自然観は、森羅万象全てが一体であるとする考えだ。ゴッドのような単体で完全な神などは想定しない。宇宙全体が一つの完全体であって、宇宙を構成する一つ一つは不完全なものである。どんな神ですら一柱で完全な神などいない。したがって、人間個人が完全であることなどあろうはずもないし、他から完全に独立しているということはあり得ない。身体をつくる物質は、地球自然界で循環再生されるものであり、生命エネルギーは宇宙空間の中で生成され保存され循環されるものである。空間的な一体構造というだけではなく、過去から未来まで時間的にも一体である。つまり、私たちの生命エネルギーは過去から未来へと繋がるエネルギー循環の今の状態である。だから、人の「死」は、次なる「生」への循環の一過程に過ぎない。そして、「生」こそ宇宙全体のエネルギーを生成する貴重な時間であり、人が生きる意味は全体への貢献にある。人々が和して世のため人のため「生」を全うするのが日本民族の生命観である。だから、国の名を大きく和する「大和」とした。

吉田松陰（しょういん）が、このことを次のように言い表している。

〈世には身生きて心死するものあり。
身亡びて魂存するものあり。
心死さば生も益なし、魂存せば亡も損なきなり。
死して不朽の見込みあらばいつにても死ぬべし。
生きて大業の見込みあらばいつにても生くべし。〉

我が身、我がこと、我が財産のために生きてる奴は死ぬことが怖いだろう。自分が生きてきた意味が死によって全て無に帰すわけだから。このような奴は、ほかがどうなろうと自分のことしか考えない。人類全体や自然全体から見ると〝癌(がん)細胞〟だ。

人の和や自然との共生にとどまらず、宇宙自然の成長に貢献する生き方こそ本来の「生」の意義。世のため人のため全力で生きた上での「死」は、永遠なる魂の主体性の発露である。

そうやって、日本人は魂を繋いできた。魂の連続性、志を継ぐ者を信じて「死」をも惜しまず全身全霊をもって「生」を全うして国を守ってきた。だから、死を恐れるよりも生を全うすることを大事にするんだ。

そういう俺たち日本人の御先祖様に「御苦労様でした。その魂は私が継承しております。何もご心配いりません。どうぞ安らかに御覧あれ」と、毎日毎日、祈り（意を宣(の)り）たいものだ。

6　国井善弥の生き様

俺は、二十歳の頃に「鹿島神流」と出合った。それ以降、日本の戦闘者としての道の探求は「鹿島神流」とともにある。

日本の武は、大和言葉（日本の原語）の「むす（産）」の「む」に後から漢字の「武」を当てたもので、本来は「産む」という創造や生成の意味があった。だから、武の象徴たる剣は、「知恵」と「勇気」をあらわす「三種の神器」の一つとして神事で使われる器であった。その後、室町・戦国時代あたりから、いわゆる武芸の流派が増え始め、江戸時代になると一人一流となるほどに多様化した。

しかし、明治以降は武士階級が廃止、武術は禁止された。帯刀ができなくなってしまったので、元来総合武術であったものが剣術、槍術、杖術、体術等と細分化されちまった。さらには、中国の武芸を日本的に解釈した空手や少林寺拳法なども日本武術としている。つまり、剣道、柔道、合気道、空手道等は、全て明治以降に形成された近代武道だ。さらに、大東亜戦争終戦後は、米軍占領下に武道は全て禁止されてしまった。そこから武道復活の起源をつくったのが、「鹿島神流」第一八代宗家「国井善弥」であった。

先ずは、「鹿島神流」を伝承した国井家の歴史について説明しよう。鹿島神宮の神官「国摩真人(まひと)」は、御祭神「武甕槌神(タケミカヅチノカミ)」の神武「韴霊(フツノミタマ)」を形に顕し「神妙剣(しんみょうけん)」を創造した。この剣は「天下御治召し給う天皇の側業」、つまり天皇の「まつりごと」を助けるための剣である。国井家は、歴代この剣の目的をよく護ってきた。

南北朝時代以降、多くの武芸諸流派が足利や徳川等武家の権力におもねり、将軍から流派のお墨付きをもらった時代に、独り尊皇の立場を貫き通した。そのため、地下に潜り大衆を助け幕府転覆を目指した。由比正雪(ゆいしょうせつ)の乱などにも国井家は加担したと言われている。

明治に入り、ようやく天皇親政になるや、国井善弥の祖父国井新作は、西南戦争に抜刀隊として出陣し獅子奮迅(ししふんじん)の功績をあげた。

こうした国井家の報国精神を国井善弥は「大義を重んじ、包容同化の精神を培養し、たとえ敵対者に対しても、日頃練磨した術技によって己を全うし、相手方の非を是正するところに真の武術の意義が存在する。術技を通じて、包容同化の精神如実に具現し得たとき、自他共に生存の実が生ずるので、神武の下に平和があり、平和の母体として武道が存在す。心身を鍛錬し、万難不屈の大丈夫を養い、祖国日本のため全身全霊を尽くすのみ」と言い表している。

次に、国井善弥について説明する。国井善弥は「昭和の今武蔵」と言われた無敵の武人だったが、本人は「(宮本)武蔵なんかと一緒にするな」と言い捨てるほど、自分の実力は武蔵などとは比較にならないほど高いことを強調していた。事実、当時の名だたる武道家や大相撲の横綱だけではなくボクシングチャンピオンや拳銃相手にも果たし合いを申し込み、無敗であった。

日本武道の非実戦的スポーツ化や精神荒廃を憂いていた国井善弥は、東京・滝野川(たきのがわ)の自分の道場には「道場破り歓迎」の看板を掲げ「他流試合勝手たるべきこと」を道場の掟(おきて)としていた。

第一次世界大戦に従軍した国井善弥は、白兵戦で超人的強さを発揮して陸軍戸山学校の近接戦闘術の開発と指導を任せられる。その後、日本陸軍の近接戦闘能力が際立って向上したことから陸軍戸山学校の営庭に国井善弥の像（精気の像）が建立(こんりゅう)された。

それが故に、大東亜戦争後の戦争裁判で戦犯扱いされ指名手配されていたにもかかわらず、国井善弥は、日本武道会を背負ってＧＨＱと文部省の官僚らが見つめる中、米海兵隊随一の格闘教官と果たし合いをした。経緯はこうである。

終戦後、日本武道を軍国主義を支えたものと決めつけたＧＨＱは武道全般を公の場で全面禁止とした。特に剣道には厳しく「軍国主義と因果関係がないことを証明しなければ許可しない」と言う。そのためには、「米側は実銃実銃剣で殺人可。対する日本側は竹刀で怪我をさせてはならない」という条件で勝利しなければならなかった。

困惑した日本武道会の面々は、国会議員で小野派一刀流の宗家笹森順造(ささもりじゅんぞう)を中心に人選をしていた。当時、日本武道会に挑戦状を叩きつけていた異端者の国井善弥に、本件を依頼するのは嫌ったものの、絶対に勝てるのは彼しかいない。そこで笹森が直接会って「無理であれば断ってもらってもよい」と前置きした上で事情を説明すると、ニヤッと笑った国井善弥は「断る？　なんでそんなもったいないことをするのか」と答えた。

実際の勝負は一瞬で決した。国井善弥の先手の位太刀（相手の左首から右胴体にたすき状にあてがうように剣を前に出す）の誘いに乗った海兵隊員が直突（着剣したライフルで真っ直ぐ突き刺す動作）から掌尾の打撃（射撃の際に肩に押し付けるライフルのストックで強打する技）を浴びせようとするところを、手の裡を返して霞に組み伏して（剣をくるりと回転させて、相手の右首にたすき状に剣を押し付け）地面に押さえつけた。

レスリングのチャンピオンでもあった海兵隊員がびくとも動けず負けを認めた。これを見ていた米国人は驚嘆し、敬意をもって戦犯指名手配中の国井善弥を見送った。というのも、国井善弥は、元の名を「道之」といったが、武道の極意に開眼した後は「善弥」を名乗っていた。これによってGHQは国井善弥が戦犯指名手配中の本人だとは気が付かなかったのだ。何よりも本人が、そんなことは一向に気にかけていない。この一件からしばらくして、GHQは日本剣道の公での活動を許可することとなる。

俺は、このような国井善弥の生き様に感動を覚えたよ。俺は何事も、理屈や道理だけではだめだと思うし、何かができたとしても筋が通っていないものは良くないと思う。文武両道とか文武不岐という言葉の意味は、実力と道義が一体でなくてはならないということだよ。強いだけだと馬鹿だし、道理だけ言ってる奴はただのおしゃべりだ。あるいは、頭で分かったようなことを言っていても実際にできないのでは、やっぱり分かっていないということだな。

そして、鹿島神流が立派だと思うのは、先祖代々一貫した目的意識の中で生き通し、それを実践できる実力を養ってきたというところだ。俺もそう在りたいと心から願う。だから、鹿島神流を自分の道にした。

俺は大楠公の生まれ代わりだと信じ、靖國の英霊の志を継承するのは俺だと決め、それにふさわしい俺になるように頑張ってきたし、今でも頑張っているよ。

それができるかどうかなんてことを考えている暇があったら、そのために努力をすることだな。どうやったらいいかなんてことで時間を潰すくらいなら、先ずはやってみて、どんどん改善していけばいい。何よりも、人に頼ってはいけない。自分の生き方ぐらい自分で責任を持って進む。全ての結果は次へのステップだ。人生全てが次の時代へのステップだ。大東亜戦争までは、そう信じて10代、20代の若者がにっこり笑って死んでいったよ。全身全霊で自分が正しいと思う生き方を行動で示して逝ったんだよ。それを継ぐ者がいることを信じてな。俺はそれを継ぐ。

一度や二度戦争で負けたぐらいでやめたりなんかしない。何度死んでもやり抜く。その気持ちを大切にして、いただいた身体を鍛えに鍛え、働きに働いて心を全うする。俺はそうやって生きることにしてんだ。日本人を全うする。生涯日本の戦闘者を体現する。

幸い、自衛隊約30年間とその後の至誠館館長としての10年間で同志を見つけることができたよ。そして、ここ熊野飛鳥の地に呼び寄せられて多くの仲間ができてきている。

驚いたことには、この地は、俺が武の道と決めた鹿島神流の御祭神「武甕槌神（タケミカヅチノカミ）」の剣「韴霊（ふつのみたま）」が神武天皇に授けられたところだった。『古事記』『日本書紀』には次のように記してある。

熊野は、神倭伊波礼毘古命（カムヤマトイワレビコノミコト）後の神武天皇が上陸した地である。上陸するや否や熊野の神の毒気に当たり、皇軍全員気を失う。そこで、天照大神が武甕槌神の剣・韴霊を熊野の高倉下（タカクラジ）に与え届けさせると、神倭伊波礼毘古命と皇軍士卒が再び覚醒する。そして、熊野飛鳥で態勢を整えた皇軍は橿原（かしはら）にむけ進軍して、ついには大和建国の大業を成し遂げた。

現代は、まさにマネーの毒気に当てられた日本人が正気を失っている状況だよ。その毒気を祓（はら）い清め、日本人が再び覚醒することを期して、2018年、「熊野飛鳥むすびの里」をこの地に開設した。

俺は40年、武甕槌神の神武を鍛錬し「韴霊」を磨いてきた。だから、「熊野飛鳥むすびの里」の武道場は「韴霊武道場（ふつのみたまぶどうじょう）」と命名し、修学研修室は「士卒復覚塾（しそつふっかくじゅく）」と呼ぶことにした。ここでは、天下御治召し給う大御心に副い奉る士を培い、日本文化を体顕できる真の日本人を育成している。

「熊野飛鳥むすびの里」では、日々、畑を耕し、休耕田を黄金色に輝く田んぼにせんと百姓仕事に精を出す。土地の人々と熊野の神々の御恩に感謝して、地に足の着いた日本人を実践する。こざかしい理屈を抜きに、ここで暮らせば本物の日本人になっていく。ちっぽけな活動体ではあるが、自らを八紘為宇（はっこういう）の実践者として自覚し、大丈夫たらんとの気構えだ。

同じような地域文化に生きる活動体が国内外に増えれば、「日本自治集団」の名の下、共に自立した協力関係を創り、地域文化の実践生活と相互敬愛の大調和を通じて世界を正していきたいと考えている。

7　戦闘の指揮を執るということ

俺は、秋田県の大館市という田舎で生まれ育った。10㎞圏内の山川は俺のテリトリーだった。勉強は嫌いだったが運動は好きだったから何でもやった。小学校では、相撲、野球、陸上競技、スキー、ポートボールの学校代表だった。その他に市の武道場で柔道を稽古していた。中学校と高校は、陸上競技部に入り中長距離を専門に走っていた。長い距離を走ってたもんだから身体はヒョロかった。しかし、足腰は強いので相撲とか柔道は強かった。後に東芝府中のラグビーチームのキャプテンで全国社会人大会優勝、監督でも準優勝した同級生、花岡伸明と相撲をしてもブッ飛ばされずに粘ることはできた。それで、高校生の最後は高校ラグビー花園大会の地区予選にウイングで駆り出されたこともあったよ。

大学に入ってからは、念願の空手部に入った。正統派空手道松濤館だったが、実際にぶん殴り合いがしたくて近くの極真空手道場に入門した。千葉県の流山支部道場だった。入門するや否や差しで組手をさせられたのが、後に極真会館の館長になる松井章圭（当時高校生）だった。俺は、ぶっ倒れたりマイッタはしなかったが、彼はほんとに強かったよ。日曜日は池袋の本部道場に通った。大山倍達館長が存命の頃だ。

俺は、激しい肉弾戦が大好きだった一方で、戦闘者としての精神的強さを渇望していた。大学の極左学生が掲げるでっかいポスターの上に「三島由紀夫研究会」とか「陽明学研究会」というポスターを張り付けて喧嘩していた俺を、恩師西村司先生が「俺についてこい」と言って連れて行ってくれたのが、当時、明治神宮武道場至誠館の武学師範をしていた島田和繁先生宅だ。

島田先生に会うや否や、そのサムライの風貌と人間性に感服した。その先生から「お前は軍人の顔をしているから自衛隊に入れ」と言われ、大学の大手ゼネコン鹿島建設への推薦入社を蹴って自衛隊に入隊した。今から考えれば有り難いご指導だったよ。

俺は、自衛隊に入隊したのはいいが自衛隊のことは何も知らない。それどころか、当時は三島由紀夫の思想に感服していたものだから、「三島を見殺しにした自衛隊めが。俺が正しい日本国軍を創ってやる」ぐらいの気持ちだった。それで幹部候補生学校では上官に食ってかかるわ、周囲に精神薫陶をするわで、とても厄介な存在だった。

幹部候補生学校時代の一コマ

とはいえ、知り合った自衛官の面々は皆素晴らしく、自衛隊の訓練はすこぶる楽しかったので真面目に服務するようになったよ。

自衛隊の最初の勤務地は、福岡に司令部を置く第4師団の旗本第19普通科連隊。当時の19連隊は、全国銃剣道大会4連覇という猛者が集まっていた。

俺の信条は、戦闘集団で指揮を執り得るのは、その集団の中の最高の戦闘者であると自他ともに認める者でなくてはならないというもの。だから、福岡で小隊長に就いた時も、弘前で中隊長に就いた時も、習志野で特殊作戦群長に就いた時も、部隊指揮官として就任するときはいつでも隊員に「俺に勝てる奴はいるか！」と言ったもんだ。

組織からもらった階級で部隊の指揮なんかできるはずがない。命がかかってんだからな。本物の実力集団だったら当たり前のことだ。

ところが、銃剣道は、相当鍛えてもらったが19連隊の猛者隊員に対しては全く歯が立たないどころか相手にもならなかった。さすが本物の戦闘者、こいつらと共に戦えるのかと思うと嬉しかった。ある日、「小隊長、勝負しましょう」と言ってきた隊員がいた。

野田弘3曹（当時）、俺の生涯の盟友の一人だ。先ずは、駐屯地の倉庫の中の武道場に行ってルール無用のタイマンどつきあい。二人とも血だらけになって戦った。これは俺が勝った。

次に、どちらが先にへばるかという駆け足。俺は走ることには自信があったが、何十㎞か走

弘前第39普通科連隊

市中パレードをする弘前第39普通科連隊

ったあたりで足が前に出なくなった。駆け足は野田が俺より強かった。共に全力で戦って以来、俺と野田は魂の盟友になった。

こうやって、本当に一緒に戦える部下隊員との関係をつくりながら小隊の指揮を執った。お互いに尊敬できる戦闘者たち。俺にとって、福岡第19普通科連隊は戦闘者としての基をつくってくれた「原隊」だ。

次の部隊指揮官は、青森県の弘前第39普通科連隊の中隊長だった。俺の故郷大館から最も近い場所に駐屯する部隊だ。故郷に錦の御旗を掲げるような気分。否が応でも気合が入って上番した。

上番して早々、指揮関係ができる部下隊員との顔合わせをするのだが、就任式に参加できない部下もいる。臨時勤務といって、中隊の業務ではなく駐屯地等の特別業務等に就いている隊員たちだ。俺は、その隊員たちにも勤務場所に出向いて行って一人一人に仁義を切った。

そんな中で、駐屯地の木工所に勤務していた千葉英二3曹（当時）に会った。元自衛隊体育学校のレスリング特待生だった彼は、ごっつい筋肉質の身体にふてぶてしい顔、そして「なんだお前は」と言わんばかりに斜に構えた態度。俺は、こういう奴が好きだ。米軍海兵隊と共同訓練した時も、千葉に腕相撲で勝てる海兵隊員は一人もいなかったほどの剛力だ。千葉本人は、駐屯地の大工仕事ではなく、戦闘者として中隊でバリバリ働きたいという。直ぐに木工所勤務から中隊に戻した。

その頃は、ちょうど銃剣道の中隊対抗競技会に向けて訓練をしていた。俺は中隊長だが、隊員と一緒に訓練した。そして銃剣道の合宿の折、千葉と勝負した。実力は千葉のほうが上だったろうがこの時は俺が勝った。それ以降、千葉は斜に構えることをやめ、正面から「中隊長」と呼ぶようになった。千葉も生涯の盟友の一人だ。

連隊の銃剣道大会では、俺が中隊の大将として出場した。監督曰く「中隊長。中隊長の出番前に勝負をつけておくので心配いりません」。ところが、第一試合から勝負は大将戦になった。監督曰く「勝負は中隊長にかかってますよ！」。こうでなくては面白くない。当然勝った。

2回戦も一つ本差で大将戦。「中隊長。負けたらだめですよ」。俺が負けなければ勝てる。こういう時は負けない戦い方で引き分けだ。結局、俺は4勝1分けで中隊は優勝。大将としての仕事はできた。福岡19連隊での銃剣道のしごきに感謝したもんだ。

続いて持続走大会。例によって俺は言った。「俺に勝てる奴はいるか！」。隊員は「絶対中隊長には負けねぇ！」と奮起する。花田仁3曹（当時）は、俺の大好きな態度のふてぶてしい隊員だ。走力の実力は拮抗(きっこう)していた。練習では、俺に負けると死ぬほど悔しがっていた。

競技会本番。花田は自己最高の力を出して走り、俺に勝った。中隊の隊員の8割以上が自己最高の成果を出した。当然、中隊は優勝した。

こんな調子で射撃競技会、冬季戦技競技会等全ての戦闘戦技競技会で優勝した。連隊長曰く「全部の優勝旗をお前の中隊だけで独占したらほかの中隊の士気が下がるだろう」と。俺は答えた。「連隊長。負けてもいい戦争はないでしょう。戦闘者は勝負で妥協はしません」。

中隊の宴会でも俺は言った、「俺より強いやつはいるか！」。さすがに200名の部下を相手に一人一人と差しで酒の勝負をすると潰れた。帰りは担架搬送で帰宅。本当に俺はいい部下隊員に恵まれた。最高の中隊だった。

繰り返すが、戦闘者を指揮するためには、自分が自分の指揮を受ける部下以上の戦闘者でなくてはならない。もちろん、あらゆる戦技で上回るというのは難しい。お互いの実力と本気度を肌で感じ合うことが大事だ。どちらが上か下かではなく、上手とか下手とかでもなく、相手の本気さを認めたら相互に敬意を払う。それでいい。

ただし、指揮官である以上絶対必要条件がある。それは任務遂行に対する情熱、国を守る気概においては絶対にその部隊でナンバーワンでなくてはならないということだ。万が一にも、この点で部下隊員に劣るようなら、すぐに指揮権を譲るべきである。国防の任務に対しての本気度が劣る者は、戦闘の指揮を執るに値しない。

戦闘指揮官は、たとえ一人でも任務を遂行しなくてはならない。だから、共に任務遂行のため命をかけてくれる部下隊員がいてくれるということに最大の敬意と感謝を払わなくてはならない。そこに、一心同体、生命共同体としての戦闘部隊が出現する。これこそが最強の部隊である。

俺は、自衛隊の部隊に勤務している間、最強の小銃小隊、最強の歩兵中隊、そして最強の特殊作戦部隊で勤務できたことは本当に幸せなことだった。その時の部下隊員のことは死ぬまで忘れることはない。

そして我が盟友たちに一言言いたい。お前らに出会えたことに真心で感謝する。自衛隊を辞めても日本の戦闘者として国を守る気概だけは持ち続けてくれ。この腐った時代に、お前らの国を守る気持ちこそが日本の宝だからな。

そしてもう一言言っておくことがある。「おい。死ぬまで俺に負けるなよ」

空挺団でのこと、特殊作戦群でのことは、後の項で話すこととする。

8 「サムライ」たちの居場所

1991年、幹部指揮幕僚課程（通称ＣＧＳ〔Command and General Staff Course〕）を卒業した俺は、第1空挺団空挺教育隊に補職された。精鋭無比を掲げる陸上自衛隊の精鋭部隊だ。

ここでも、毎日の仕事の終わりは隊員と気力・体力の勝負。今でも親しくしている中村尚人ら腕自慢・体力自慢の空挺兵と相撲、フルコンタクトのスパーリング、習志野演習場での全力疾走で一日を締める。職務上の俺の任務は、レンジャー訓練の在り方の研究、空挺部隊の運用、空挺装備品の研究開発であった。

空挺作戦は、輸送機を連ねて敵の防空網をかいくぐり敵後方に戦闘降下しなければいけない。これほど防空能力の向上した現代戦において、輸送機が敵の防空圏内に突入するということは極めて困難な作戦である。そのため、敵の対空ミサイルの射程外の高高度から落下傘で降下潜入するか、敵のレーダー等監視システムに見つからないような超低空飛行で潜入して降下するしかない。前者は、自由降下（フリー・フォール）と呼ばれる特殊技能を必要とするため小部隊の潜入には適するが部隊主力の降下には適さない。つまり、空挺作戦の主力部隊は、超低空で飛行する輸送機から降下しなくてはならないということだ。地上レーダーなどの監視システムに見つからない対地高度は地上50ｍ以下だ。ただし、50ｍからではパラシュートは使えない。対地高度50ｍ以下で飛行し、空挺作戦地点に到着する時に高度を上げて降下する空挺作戦の戦術的超低空降下とは対地高度約１００ｍ以下だ。

また、現代戦では、個人が携行する装備品が多いため、落下傘で吊るす重量が非常に大きくなる。しかも空挺兵は図体がでかいので、必然的に落下傘の吊下重量性能は飛躍的に高くなる。だから、現代の空挺作戦のためにはそれまでの落下傘より50％近く向上した吊下重量性能が要求される。

他方、現代戦では兵士が地上で密集するのは敵火力の餌食になるので、できるだけ広く分散して行動する。目視や号令で意思疎通していた古いスタイルの指揮統制は、空挺降下において「集団密集降下」（隊員が連続して輸送機から降下すること）を必要としていたが、指揮通信機材の発展により個人が携行する通信端末のモニター上で指揮統制が可能になったことで、輸送機からの降下要領は、隊員間ができるだけ間隔を置いて降下する「戦術的分散降下」に代わった。したがって、年の初めに空挺団の「降下始（こうかはじめ）」で展示しているような、隊員が次から次に降下する原始的降下要領はどこの国でもやっていない。このような現代の作戦上の要求から、当時の60式空挺傘では空挺作戦遂行が不可能であった。

そこで俺は、現代の空挺作戦に適合する落下傘の開発について国産メーカーに問い合わせると「なんで変える必要があるんだ。そんな必要はない」と天下りのＯＢが偉そうに答えた。おいおい、どうなってんだと陸上幕僚監部の担当に問い合わせると、「国産メーカーには研究開発能力がないからしょうがない」と言う。「そんなんじゃだめでしょう」と言うと、偉い人が出てきて「若造が装備行政に首を突っ込むな」ときたもんだ。俺は、こいつらを皆殺しにしようとすると、先輩から「そんなことしても何も変わらない」とたしなめられた。俺は、「そうですか。わかりました」と言うわけにはいかないので、こちらの期待する性能に適合しそうな落下傘を海外で見つけることに決めた。

そのため、休暇を取って自費で海外のパラシュート・メーカーを訪問してテスト・ジャンプすることにした。候補に挙げた落下傘は英国、フランス、ドイツ、ロシアの4社の軍用低高度落下傘。最終調査で英国とフランスの落下傘に絞った。

海外のパラシュート・メーカーは、国産メーカーとは違って、開発コンセプトも研究開発試験設備も完備されたしっかりした会社であった。それぞれの会社が開発した新型空挺傘の説明を受け、その傘を使ってのテスト・ジャンプを正式に申し出た。

フランスでのテスト・ジャンプは3回。彼らは、最大超過重量（最も重い装備を携行しての降下）で最大機速（マル秘）、最大地上風速（20m）での降下を準備した。日本では絶対にできない条件での降下である。携行重量を正確にセッティングするため水ポリタンクで調整した。空挺団での降下訓練時の携行重量より遙かに重い重量だ。この荷物を装着してセスナに搭乗するのも大変だったが笑顔で手を振り離陸した。

セスナはどんどん高度と機速を上げる。機速が一定したところで今度は高度を下げて降下ポイントに潜入。地上の風速を示す吹き流しは真横を向いて末端がバタバタとはためいている。かなり強い地上風だ。セスナも強風の影響で安定しない。オープンになったセスナのサイドドアの前でスタンバイしていた俺はジャンプの合図を待っていた。機体が大きく横揺れした直後、ジャンプのサインが出た。一気にドアから飛び出そうとした。ところが、セスナの機体の横揺れでポリタンクの中の水が振れ出し、さらに新幹線より遙かに速い速度で飛行するセスナの外からの風圧は強烈でドアから機外に踏み出せない。1回目のジャンプはドライ（降下せず）。日本の戦闘者として恥だ。

2回目は絶対に飛び出す。ドアにすり寄って身構える。オン・コース。ジャンプのサインが出ると同時に左手を機外に出して掌で空気を受ける。すると一挙に身体がセスナの外に引きずり出され、きりもみ状態で空中に放り出された。ライザー（落下傘から人を吊るす2本の帯）がぐるぐる巻きにねじれた状態で開傘（パラシュートが開く）。

低高度降下用の落下傘は空気透過率がゼロ。その傘が、高速のセスナから飛び降りて開くときの衝撃は新幹線が最高速度で走っているときに急ブレーキを踏むより強い。骨という骨が全部ばらけるような強烈な衝撃であった。さらにその衝撃で、ねじれて首に巻き付いたライザーが首をいっきに絞めた。目が飛び出て息ができない。急いでねじれを戻すが、低高度からジャンプしているので直ぐに地上が近づいてくる。身体に結び付けている水のポリタンクを着地前に切り離さないと重量の負荷で脚が折れる。地上ぎりぎりでポリタンクを切り離し骨折は免れたが、地上に先に着いたポリタンクがアンカーのように働き、20m以上の地上風に煽られた落下傘に引っ張られて俺の身体は真横になった。

落下傘は風をはらんでものすごい勢いで俺の身体を引きずる。風速20m以上の風をはらんだ落下傘に引きずられるときは高速で走る車にロープで括り付けられて引きずられるのと同じ。地上を高速で引きずられてジャンプスーツもブーツもボロボロだ。

ようやく落下傘を切り離し立ち上がると顔から首にかけてヌルヌルする。手でこすると血だ。どうやら俺の口から血が流れ落ちているようだ。落下傘会社のスタッフが車で近づいてきて恐ろしげな顔をして俺を見る。「大丈夫だ」と言おうとしたが声が出ない。どうやら開傘衝撃で食道を切ってしまったらしい。

フランスのスタッフが心配して「次のテスト・ジャンプはやめたほうがいいのでは」と言うから、「サムライは死んでもやめないんだ」と答えた。

その夜は、ジャンプに付き合ってくれたフランス人が「日本のサムライのために食事をおごる」と言って高そうなディナーに招待してくれたが、食道が切れていたので目の前の美味しそうなフランス料理は一口も食えなかった。それでも、消毒のためにワインだけはいただいた。美味(うま)かったが喉に激しく沁みた。

フランスでのテスト・ジャンプを終え、英国のパラシュート・メーカーを訪問した。親子代々のパラシュート職人というおっさんが自慢げに落下傘の説明をしてくれた。英国でのテストは、超低高度からのジャンプを準備してくれた。1回目は対地高度200m、2回目は100m。100mから自由降下で落下傘が開かなければ、地上までは約4・5秒、時速約160kmで地面に衝突する。ちなみに空挺団の降下は300m以上の高度で、日本の法律上、習志野のような市街地では対地高度100mからの降下はできない。

俺は質問した。「この落下傘で低高度降下のテスト・ジャンプはしたか」。彼は答えた。「グッド・クエスチョン！」「もちろんだ」「ただし、ダミー（人形）でだ」「お前はラッキーな奴だ。俺の落下傘の最初の人間のテスト・ジャンパーになれるんだからな」。いいおっさんだ。

会社のスタッフがすぐ補足した。「君と一緒に英国のパラシュート連隊所属の有名なフリー・フォール専門チーム『レッド・デビルス』が一緒に降下するから心配ない」と。

翌日、飛行場でレッド・デビルスの連中と会う。「お前は勇気のある日本のサムライだ」「よろしく」。簡単なあいさつを交わし一緒にセスナに乗り込む。普通、落下傘で降下するときは、主傘にトラブルがあった場合に備え、必ず予備の落下傘も装着するのだが、低高度ジャンプでは予備傘を使っても間に合わないから着ける必要はないということだ。命を守る予備手段がないというのは心細いものだが顔には出さない。

セスナが離陸すると、「ところで誰からジャンプをする？」とレッド・デビルスの連中が言い出した。俺は、世界的にも有名なフリー・フォール集団のレッド・デビルスが当然先にジャンプするものだと思っていた。ところが、「せっかく日本からサムライが来ているのだから彼にトップ・ジャンパーを譲ろう」と言う。「日本のサムライ」と言われたのでは引き下がるわけにはいかない。俺は「もちろんだ。ありがとう」と応え、直ぐに飛び出せるようにドアを外しているセスナのサイドドアから足を外に投げ出し機体の端に腰かけた。

最初は200mからの降下。空挺団の降下訓練高度に比べると地面がかなり近い。ジャンプのサインとともに開傘衝撃に備えて身体をくの字に締めて降下。「初降下。二降下。三降下。開傘。点検」。60式空挺傘は開傘まで4秒必要だが、この傘は3秒程度で開いた。開傘速度は速い。しかし、開傘するや否や四周を点検する（自分の近くに落下傘が開いたほかの隊員がいると、落下傘の特性上接触または上下に重なって双方の傘が絡み失速して墜落するため、周りを点検し、もし近くに他の傘があれば、接触しないように直ぐに回避行動を取る）暇もなく着地準備をしなくては間に合わない。100mから本当に開傘・着地が間に合うだろうかと不安になったが、やるしかない。

2回目の降下の準備に移る。レッド・デビルスの一人から「次は対地高度100mだから、飛び出してから地上まで3秒程度しかない。ジャンプしたらフリー・フォールのように手足を大きく広げて空気抵抗を大きくしたほうがいい」とアドバイスを受けた。確かに少しはましかもしれない。

新しい落下傘を背負って2回目の降下。100mの高度からのジャンプだ。セスナが離陸する。レッド・デビルスの連中も緊張しているのが分かる。セスナは高度100mでの飛行態勢に入った。地上にいる人の顔がはっきりと分かる高さだ。ジャンプサインがあった。

俺は、躊躇せず両手両足を大きく広げて思いっ切りセスナから飛び出す。「初降下（1秒）、二降下（2秒）、三降下（3秒）」。ものすごい勢いで地面が目の前に迫ってくる。開傘衝撃がない。「駄目だったか！」と思った瞬間、開傘衝撃とともに地面に叩きつけられて気を失う。

気を取り戻すと、俺は地面にあおむけになり身体の上に落下傘が被さっていた。「生きていたか」と思いながら起き上がり傘をたたむ。「ところで、レッド・デビルスの連中は大丈夫だったか」と周りを見回すが見当たらない。そうこうしているうちに、着陸したセスナから彼らが降りて走って俺に近づいてくる。「おい！　あいつ生きてるぜ！」「よく生きてたな」「素晴らしい！」と叫んで握手やハグをしてきた。どうやら、セスナから見ていた彼らには、落下傘が完全開傘する前に俺が地上に打ちつけられて死んでしまったように見えたらしく、彼らはジャンプしなかったということだ。俺は答えた「日本のサムライはこれぐらいでは死なない」と。

その夜は彼らのおごりでどんちゃん騒ぎ。世界中、軍人同士はすぐ意気投合できる。特に勇気ある行動に対しては国境を越えてリスペクトするのが当たり前だ。

その後、自衛隊の装備行政の常識を覆してフランス製のパラシュートが新空挺傘として採用された。もちろん、ギャーギャーと騒ぐ薄汚い奴らはいっぱいいたが、戦後憲法下で戦争をやる気など毛頭ない防衛政策の中、実戦のための装備を導入できたことは意義あることだった。

この傘の導入は、素晴らしい隊員たちの思いがあったからこそできたのだが、俺が本当に素晴らしいと思った奴に限って、自衛隊に愛想を尽かして辞めていった。戦争を放棄した戦後憲法に甘んじ、戦争をしない防衛政策と戦争を想定しない装備行政の中で、戦争を想定しない訓練に明け暮れる自衛隊に、本当に国を愛し命をかけて国防の任務を全うしたいと思う奴は幻滅して辞めていく。

これは本当に大きな国の損失だ。彼らのような本物の戦闘者が日本のために命を尽くせる場所をつくりたい。このことが、俺に特殊部隊の設立を決心させた。それから10年後、特殊作戦群の創設に繋がることになる。

9 特殊部隊創設へ

空挺勤務間に、自衛隊の中に日本を愛する本物の戦闘者が全力で任務遂行に当たれる部隊、すなわち特殊部隊の創設を決意した後、1995年から1997年の間、ドイツへの留学の機会を得た。いわゆる防衛交流の一環で、かつては、『戦争論』で有名なクラウゼヴィッツが学校長を務めていたドイツ連邦軍指揮大学（フュールングス・アカデミー）への留学だ。自衛隊でいう幹部学校のCGS（指揮幕僚課程）に相当する軍学校高級幹部課程での教育に、外国の少佐以上の軍人を招致するプログラムである。

日独間の軍事留学生の歴史は長く、日清戦争での軍功著しい川上操六大将や日露戦争の軍功者乃木希典（まれすけ）大将などもドイツ軍大学留学生である。

この時期は、まさに冷戦崩壊による防衛見直しが世界的に行われており、対ソ戦略のためにつくられたNATO（北大西洋条約機構）も根本的にその目的を見直していた。目的を対ソ防衛から西側秩序の世界的普及に換えたわけだ。

特にドイツ軍は、NATO軍の中だけで軍事作戦をするという戦後軍事体制を見直し、ドイツ軍単独の作戦やNATO域外の軍事作戦も遂行できるよう防衛構想の大きな転換を図っていた。実際に、1997年、アルバニアで生起した国内暴動に際しては、ドイツ軍単独で自国民救出作戦を遂行し、ドイツ国民13名を含む１３０名（日本人14名を含む）の救出を１日で成し遂げた。ドイツが戦後体制を脱却した決定的瞬間だった。

また、ドイツ軍は防衛構想の転換に伴い、戦車主体の機甲部隊をなくし歩兵部隊へと転換するなどの戦力見直しも思い切って進め、空挺部隊を廃止し特殊部隊ＫＳＫ（Kommando Spezialkräfte、独陸軍の特殊部隊）の創設に向け準備中であった。俺は、絶好のチャンスとばかりＫＳＫの創設についてＫＳＫのオペレーターから直接情報を収集することができた。このことは、帰国後大いに役立つこととなる。

ドイツ留学を終えて日本に戻った俺のポストは、陸上幕僚幹部防衛部研究課研究班長期防衛見積もり係であった。陸上自衛隊では、防衛力整備にあたってＰＰＢＳ（Planning, Programming, and Budgeting System＝計画策定、実施計画、予算編成システム）を採用している。プランニングという長期戦略を立て、プログラミングという中期防衛力整備構想に落として、年度ごとのバジェットを確定するという仕組みだ。

俺の仕事は、このプランニングという長期戦略の作成だ。それは俺にとって、打って付けの仕事であった。大方の役所の業務というのは、予算や制度に係わるもので、法規に則り、理屈をうまくつくって予算を獲得して組織を拡大し、役人たちが良しとする法律や制度をつくる仕事だ。現状を基にして、合理性、論理性が支配する業務である。

これに対して、戦略部門の業務というのは、将来の在るべき姿を描き、そこへ到達するための道筋を考察するもので、合理性や、理論性を無視するわけではないが、現状にとらわれる必要はなく、理想的未来構築への創造性が重視される業務である。

俺は、性格的にも現状にとどまることが嫌いで、常に未来を切り開くことをしていないと気が済まない。戦略的発想をもって創造性ある仕事をする長期防衛見積もり係の仕事はぴったりと俺の性に合っていた。

何よりも、戦後自衛隊の防衛力整備の枠組みには存在しない特殊部隊を創るにはもってこいのポジションである。特殊部隊というのは、軍事的合理性のみで作戦する陸軍、海軍、空軍などの軍種とは全く別の作戦職域である。非通常戦を遂行する特殊部隊は、強い政治性を持ち、外交や経済など広範な効果と影響を考慮した作戦を遂行しなくてはならない。これは完全に新しいチャレンジであった。

間もなく長期防衛見積もり係長になった俺は、陸上自衛隊の戦力構成全般の見直しを提言する文章と資料を作成した。その中の一つに特殊部隊の創設があった。

物事を変えるときには反対と抵抗はつきものだが、特に特殊部隊の創設は困難を極めた。限られた防衛費の中で新たな部隊を創設するということは、所謂(いわゆる)予算の取り合いが生じる。また、自衛官でありながらレンジャーと特殊部隊の違いが解らない人たちにその説明をして理解してもらうのだけでもかなりの時間と労力を要する。

さらに、安全管理には異常に厳しい陸上自衛隊の中では、近接戦闘射撃はもとよりファストロープ（垂れ下げられたロープを伝い兵士が連続して素早く滑り降りること）でさえ「手を離したら危ないじゃないか」と言って反対する人ばかりだ。周りはみんな反対している状況の中で、俺は部下に対し「俺たちが陸上自衛隊を再生するんだぞ」と檄を飛ばしたもんだ。

多くの問題を一つ一つクリアして、ようやく公文書に「特殊部隊」の文字が入ることになったが、それまでには、長期防衛見積もり係員の多大なる努力があった。

その後、俺は、防衛庁防衛局防衛政策課に勤務し、北朝鮮問題の担当や防衛大綱の基になる防衛力の長期的整備構想の作成を担当することとなる。日米関係と軍事革命（RMA〔Revolution in Military Affairs〕）にも関わった。ここでも、冷戦後の新たな世界情勢に応じた防衛力の根本的見直しを提案し、その中で非通常作戦を遂行できる特殊部隊の必要性を謳った。

それを仕上げた後は、陸上幕僚監部に戻り防衛部防衛課防衛班の先任に就いた。防衛班というのは、プログラミングを担当する部署で中期防衛見積もり等を作成する。特殊部隊は「S部隊」という名称で防衛力整備計画に組み込まれた。これで特殊部隊の創設はほぼ現実的なものとなる。

実際に特殊部隊の創設準備に取りかかるにあたって、特殊部隊の知見がない陸上自衛隊としては、米国の特殊部隊（グリーンベレー）に要員を留学させ、そのノウハウを習得することとなった。そして、指揮官候補の選定に入る。それまで特殊部隊の創設には反対をしていた人も含め何人かが手を挙げた。どれも知っているメンツだった。俺は、一つ提案をした。「特殊作戦群の指揮官になる者は、グリーンベレーに留学することを条件にしよう」。案の定、みんな手を下げた。特殊作戦群指揮官の候補は俺だけになった。

俺が、特殊作戦群長候補として米国留学が決まるや否や、上司の君塚防衛課長（当時）がこう言った。「荒谷。お前はいくら体力があるといっても留学先はグリーンベレーだからな。途中で帰ってくるわけにもいかないから、レンジャー能力をブラッシュアップするためにあらためて空挺レンジャー課程に入校しろ」

俺は言った。「課長。了解！　では、防衛班の先任業務はしばらく空けますね」。そしたら課長が答えた。「いや。両方やれ」

ということで、火箱空挺団長（当時）にあいさつに行くと、「よし。階級は関係ない。レンジャー学生の中に入って同じようにしっかりやれ」。1等陸佐（大佐）のレンジャー学生は初めてだったろう。俺も教官・助教もやりにくいがしょうがない。

ハイポート（小銃を身体の前で支えながら走る）、障害走、ロープ訓練、戦闘卸下（輸送した人員や装備品等を車両などから下ろすこと）、習志野や青木ヶ原でのコンパス等、若い空挺兵と共に汗を流す。やってみて自分でも驚いたが、40歳の割にはかなり身体も動くし体力もあった。長谷川恒男カップ日本山岳耐久レース等に参加して体力錬成に怠りなかったのが功を奏したようだった。

これで、心身共にグリーンベレー入校の準備は整った。生憎(あいにく)、留学の経費は、日当10ドル程度しか出ない貧乏留学だったが、陸上自衛隊に、本物の特殊部隊「特殊作戦群」を創設すべく、自分の全財産を投入して米国に渡ることとなった。

10 グリーンベレー留学

２００２年11月、米陸軍特殊作戦コマンド・JFK Special Warfare Center & School（ジョン・Ｆ・ケネディ特殊戦センター＆スクール：ＪＦＫＳＷＣＳ）への留学が決まり、米国に渡った。

最初の数ヶ月は、海外留学生に必要な英語能力の養成と試験を受けるため、米国テキサス州サンアントニオにあるラックランド空軍基地に向かい、英語教育（スペシャライズ課程）を受けることになる。本課程は通常9週間の履修を必要とするが、次に控えるフォート・ブラッグ（Fort Bragg）基地（現・フォート・リバティ〔Fort Liberty〕）における教育の日程の都合で8週間の履修で試験を受け、卒業した。

２００３年1月26日、ノースカロライナ州フォート・ブラッグに到着。空港にはＪＦＫＳＷＣＳ隷下の教育隊司令官が直接出迎えてくれた。

ＪＦＫＳＷＣＳにおいて教育全般の責任を有する司令官と直接交渉し、Ｑコース（Qualify Course）と呼ばれるグリーンベレー隊員養成コースのみならず、ミリタリー・フリー・フォールやスクーバ等の潜入課程、偵察・狙撃、市街地近接戦闘等のアドバンス・コースや民事作戦や心理作戦等、新たに特殊作戦部隊を創設するために必要な教育訓練参加と、特殊戦隊員のリクルートの在り方およびフォート・ブラッグに駐屯する特殊作戦部隊との研修調整について了解をもらった。

また、司令官室の隣に専用のオフィスを開設し、上記研修の具体的調整についての便宜を図ってもらった。それらの内容については保全上の制約があるので紹介することはできないため、秘密保全上の規定に準じて可能なことのみを紹介するにとどめる。

特殊部隊の活動分野は、極めて広範囲に及ぶので、特殊作戦の概念を正確に理解する必要がある。一般的に特殊作戦と言えば、映画でよく見るようなレンジャーやコマンド部隊が実施する、襲撃や伏撃のような「ダイレクト・アクション」をイメージするかもしれないが、現代における特殊作戦の主流は「アンコンベンショナル・ウォーフェアー」、つまり「非通常作戦」と言われるものである。

非通常作戦とは、米国が主導するグローバル資本主義（新世界秩序）を受け入れない国の政府の転覆や、新世界秩序から離脱しようとする勢力を潰すための政府支援等のような作戦である。つまり、軍事の領域にとどまらず、思想、経済、外交などを含む広範で高度に政治的な目的の作戦が非通常作戦なのだ。

今日、特殊部隊が投入されない軍事作戦はないと言っても言い過ぎではない。例えば、第二次世界大戦後の最後の大規模な通常作戦を伴う作戦はイラク侵攻作戦であったが、作戦目的は、原油取引のユーロ建てを推進していたフセインの政府を潰して、イラクの原油取引をドル建て（ペトロダラー・システム）に戻すためであり、このような「市場化」のための政体転換は非通常作戦に該当する。したがって、この作戦の指揮を執ったのは中央軍特殊作戦コマンドである。

南部から攻撃した海兵師団・陸軍第3歩兵師団と多国籍軍部隊は通常戦部隊である。これらの部隊は、ほぼ無抵抗のイラク軍に対し、攻撃を加えながらバグダッドまで北上しただけである。

これに対して北部から攻撃したのが特殊部隊とその隷下に編入された陸軍101空挺師団等だ。北部から攻撃するにあたっては、事前作戦としてCIAなどの工作により、イラク軍人に対する心理戦で戦闘行動を抑制し、トルコ国境にいるクルド人に対しイラク新政府への参画や彼らの独立国「クルディスタン国」の建国などをほのめかし、フセイン政府と戦うように扇動し、グリーンベレーが対フセイン政府のためのクルド人軍隊を訓練して創設した。

そして、「イラクの自由作戦」において特殊部隊は空路イラクに潜入し、スカッドミサイル基地を全て潰していく。事後作戦としては、日本占領下に日本人を反日日本人に変えたように、イラク市民に対する心理作戦により反フセイン思想工作を展開するとともに、フセインの捜索・捕獲をした。これが、通常作戦と非通常作戦の違いだ。

軍事作戦がこのような大きな変化を遂げた背景には、冷戦後、共産主義経済圏が消滅し、唯一の軍事大国となった米国がリードする形で、市場の要求によるグローバル資本主義を世界秩序として全世界への拡大を図ったことがある。

したがって、作戦行動は、伝統的な「攻撃」や「防御」ではなく、「人道支援」や「社会復興支援」という肩書を使ってはいるが、実際はマネーを唯一の価値とする市場原理を強制するための「安定化作戦」と「(グローバル化) 支援作戦」に変わった。これはただ敵を殺傷し地域を占領すればいいというような単純な作戦ではなく、政治体制の変化を目的とした、かなり複雑な軍事作戦を遂行する必要がある。

このような作戦では、兵士一人一人の判断と行為が、直接国際政治に影響を及ぼす可能性があるため、軍事作戦の遂行と結果に対する政治の要求が極めてデリケートなものになった。その結果、GIジョーのような単純な戦闘行動だけを遂行する兵士は不要となり、高度な判断と熟練された技能を身につけ非通常作戦を遂行できるエリート兵士が必要とされるようになったのだ。

特殊部隊は、上記のような目的に沿った能力を有する部隊である。したがって、軍事以外にも、医療、通信、教育、建築等の民事や心理作戦に及ぶ極めて広い分野で多様な能力を保持している。

当時の自衛隊は、自衛官個々の潜在能力は充分高いということは言えるのだが、現代戦を遂行するために必要な、法制、教育訓練、装備品、そして何よりも新しい作戦形態の理解や戦うモチベーションにおいて課題は多かった。法制や政治・行政上の問題は自衛官の立場では如何ともし難いが、最も身近であるはずの市街地の戦闘ですら、基礎も不充分というのが実態であった。

一例を言えば、敵味方の識別が難しく、状況によっては民間人も混在するような状況下で、味方兵士や非戦闘員の安全を確保しながら戦闘する要領、建物内で所在の分からない敵へのアプローチの仕方、銃弾が貫通するような建屋内で使用する武器・弾薬・爆破薬・射撃に関する知識と技能、電波が届かない屋内での情報活動や隊員間の意思伝達要領、複雑な建物での補給・整備や救命処置等、基礎の基礎から訓練する必要があった。

当時は、一般隊員のみならず高級幹部でさえ、レンジャーと特殊部隊の区別がつかない状況だったので、それを口頭で説明するのは極めて困難であり、結局、私自身が特殊戦の遂行能力を身につけて日本に持ち帰るほかなかった。

とはいっても、グリーンベレー兵士は全米国民のあこがれであり、軍隊のみならず一般社会からも優秀な人材を直接リクルートして選考に選考を重ねて選び、数年の歳月をかけて教育訓練して養成するエリート兵士である。

グリーンベレー兵士としての資格を得るためのQコースは四つのフェーズから構成されるが、最初のフェーズ1だけで60%が脱落する。その後も教育の進展とともに脱落者や不合格者が続出し、最終的には20~30%程度の者だけが生き残り、グリーンベレーを被ることができるのだ。

私の同期生は、米国人と少数の外国特殊戦兵士たちだ。多くの兵士は20代、30代は数名、私以外に40代は誰もいない。おまけに、大体が大尉であり、少佐が数人、大佐は私だけである。

予想通り、「おいおい、このおっさんなんか間違って来ているようだぜ」「このおっさんが何日持つか賭けをしようぜ」という展開になった。俺が1週間以上Qコースで生き残るということに賭けた奴はいなかった。

俺は言った。「俺も賭けていいかい。最後まで生き残る」。その後、武装障害走（完全武装で障害物を走破すること）、着装泳（コンバットブーツ、戦闘服、ヘルメットなど完全着装で遠泳すること）などを経て1週間。外国特殊戦留学生を含む米国学生たちが脱落していく中で、俺は、体力検査、泳力検査、スター・ランドナビゲーション（ナビゲートして通過した一辺10㎞ほどのコースの完成図が星のような形状をしていることからこのように呼ばれる）試験を満点で合格した。

賭けはいただきだ。生活費が乏しかった俺には助かった。それだけではなく、同期の学生や訓練インストラクターたちからリスペクトを受けた。「うちの国には、大佐でお前のように兵士と同等に訓練できる奴は見たことがない」と。

当たり前だ。俺は日本の戦闘者だ。自衛隊を背負っているだけじゃない。俺が背負っているのは、日本の文化と歴史と伝統を受け継ぐ日本の戦闘者としての全てだ。俺が生きている限り日本は日本で在り続ける。日本を守っているのは俺だ。絶対に負けない。日本の歴史に名を連ねる日本の戦闘者たちがそうだったように、身体が朽ち果てても、精神は無敵のまま永遠に生き続ける。何度でも生まれ代わって日本の戦闘者として戦い続ける。そういう生きものなんだよ。日本の戦闘者とは。

11　特殊部隊の訓練

ＪＦＫＳＷＣＳが所在するフォート・ブラッグ基地について説明しよう。ノースカロライナ州ファイエットビル（Fayetteville）の北西部に位置するフォート・ブラッグ基地および演習場は、６５０㎢以上の面積を有し、5万名以上の軍人や軍属が勤務する世界最大規模の軍事施設である。フォート・ブラッグ基地には、第18空挺軍団司令部とオール・アメリカンと敬称される第82空挺師団、米陸軍特殊作戦コマンドと第3および第7特殊戦グループや統合特殊作戦コマンドと第1特殊部隊デルタ作戦分遣隊（通称デルタフォース）等重要な部隊が所在する。

演習場は長径50㎞以上にも及ぶ多様な実射実爆レンジで構成されており、小火器から野砲までの実射のみならず、対地航空支援射撃の実射や世界中の戦域をモデルにした市街地実射訓練場などがあり、当時は、アフガンやイラク等に派遣される部隊の任務直前の実射実爆リハーサルなどが頻繁に実施されていた。

さらにそこから少し離れた場所には、特殊作戦訓練専用の演習場キャンプ・マッコール（Camp Mackall）がある。ここが、グリーンベレー養成のベース・キャンプとなる。

ＪＦＫＳＷＣＳでは、非対称的脅威に適切に対処できるオペレーターの養成や高度な特殊作戦スキルの教育をする。

特殊作戦部隊は、戦力の量より質を重視する。したがって最初の訓練コースを「Qコース」と呼ぶ。Qコースは、六つのフェーズから構成されている。

フェーズ1はセレクションと言われる適性選考で、年間8回実施されている。選抜訓練には、陸・海・空および海兵隊の現役兵士のほか、予備役そして一般市民で特殊戦兵士を望む者は職業、年齢を問わず誰でも挑むことができる。この選抜訓練には、毎回200から400名程度の参加者がある。

訓練参加者の中から、資格適性検査（犯罪歴、心理学の専門家による面接、知能検査、体力検定）の不合格者、必要訓練課目の基準未到達者および訓練継続意思のない者、最終面接試験での不合格者が排除され、これらを全てクリアした合格者（平均40％）がフェーズ2以降の訓練に進むことができる。

事後の訓練も含め、訓練間の安全管理の手段は、安全を確保するために必要なことを教えることであり、一度教育を受けたらその後は全て本人の責任となる。訓練メニューは如何に天候が悪くても予定通り進められ、怪我・病気で参加できなくなればその時点で不合格となる。自己の安全管理ができない者は排除されるというシステムである。

最終面接では、自己の行動に対する客観的分析とその改善策の創意、判断が難しい問題への対応等の評価を重視して面接が実施される。

選抜コースの意味は、特殊作戦戦士を希望するという本人の希望以外何の条件も付けず受け入れ、如何に本人の意思が堅固で、精神状態が健全で安定しており、優れた知力（分析力と創造力）と一定以上の体力を有するかを確認することにある。

一般に特殊作戦は少数で遂行され、かつ各人が極めて特異な技能を期待されているため、一人のミスを全体でリカバーできない。したがって、万が一にも能力のない者がその中に含まれていてはならないため、選抜は極めて厳正に行われている。確実に特殊戦戦士になり得ると判断される者のみを選抜し、少しでも能力発揚に不安がある者は一切排除する。

そのため、常に部隊の編成定員は充足されないそうであるが、質を重視することが最も重要であり、数は望ましい目標ということである。この点は重要であり、特殊戦は数で勝負するのではなく質の戦いである。

また、選抜試験は、体力的な計測によるというよりも、本人の意思、資質、精神安定性等の精神的側面および、分析力、創造力、状況適応力等知的側面やレジリエンスをより重視して評価する必要があり、そのためには心理学の専門家のサポートや知的要素を評価できる訓練シナリオを考えて選抜を実施する。

選抜にあたっては、予め合否判断の特定のマニュアルを決めてしまうと、同じようなタイプの隊員が集まる危険性があり注意を要する。努めて多様な資質の優秀な隊員を選抜すべきである。特に「こう言われましたから」「こう教わりましたから」「規則でこうなっていますから」「今までこうやってきましたから」という答えを出すような知力のない隊員は明らかに不適である。自己の行動を客観的かつ詳細に分析し、それを直ぐに改善できる能力が重要であり、恒常的に事故、怪我、病気の多い隊員も排除される。

フェーズ2は、小部隊の戦術行動（Small Unit Tactics）訓練だ。野戦から市街戦までの戦術行動（情報、後方支援、航空機誘導、空挺・空中機動等を含む）を完全にアイソレート（孤立）された状況下に訓練する。

フェーズ3は、特技訓練。オペレーション、ウエポン、エンジニアリング、コミュニケーション、メディック等の専門教育である。

フェーズ4は、「ロビン・セイジ」と呼ばれる作戦チームによる非通常戦の総合訓練である。

フェーズ5は、語学教育。世界各国の言語のうちの一つを選んで、実務で使えるレベルまで修学する。

フェーズ6は、テロリストなどに捕まった場合の捕虜としての対処行動だ。

このほかに、特殊戦兵士のためのアドバンス・コースがあり、フォート・ブラッグにおいては、特殊戦狙撃課程（SPECIAL OPERATIONS TARGET INTERDICTION COURSE）や市街地において特殊戦を遂行する特殊技能を養成する特殊戦上級技術課程（SPECIAL FORCES

ADVANCED RECONNAISSANCE,TARGET ANALYSIS & EXPLOITATION TECHNIQUES COURSE）等がある。

狙撃課程は、単なる狙撃術ではなく、インテリジェンスからオペレーション全体をトレーニングする。市街戦も、情報活動からCQB（Close-quarters Combat〔近接戦闘〕）、爆破を含む各種ブリーチング（作戦通路開口のための障害除去等に関する技能）など広範囲に及ぶ教育である。

フォート・ブラッグ以外では、MILITARY FREE FALL SCHOOLがアリゾナ州ユマに、WATERBORNE OPERATIONS COMBATDIVE QUALIFICATION COURSEがフロリダ州キーウェストに所在する。

これらの訓練に参加する傍ら、フォート・ブラッグでいろんな人たちとの出会いがあった。デルタフォース創設メンバーで日系米国人のWade Ishimotoさん。彼は、俺が特殊作戦群長に就任した年にカウンター・テロリズムの「ザ・マン・オブ・ザ・イヤー」にも輝いた。現在はハワイで合気道の指導をしている。

日本ではおなじみの元特殊部隊曹長の三島瑞穂さんは、グリーンベレーのベテランズとの交流で頻繁にフォート・ブラッグに来ており、よく食事に誘ってくれた。三島さんからは、グリーンベレー創設期の話をたくさん聞くことができた。

彼は、特殊部隊に入る前は第82空挺師団に所属していたそうで、グリーンベレーがフォート・ブラッグに新編されると聞いて、グリーンベレーを希望したそうだ。そうすると「オール・アメリカンズ」を自負する第82空挺師団のメンバーから裏切り者と言われ、ベース（基地）の中で会うとコテンパンにやられたりしたそうだ。

まさに、習志野で起きたことと同じような話で、どこの国も同じようなもんだと思ったものだ。

また、映画『ブラックホーク・ダウン』（米・2001年）で有名になった「モガディシュの戦闘」で、ソマリア民兵組織モハメッド・ファッラ・アイディード将軍の側近二人を捕らえるミッションで作戦を遂行したデルタフォースチームの一人（当時狙撃手）とも親しくなり、自宅での食事や彼の好きなカントリー・ミュージックのコンサート等にも誘ってもらった。彼の自宅では、モガディシュの戦闘で亡くなったゴードン曹長の遺品も手に取って見させてもらった。

特殊作戦は通常の軍事作戦とは全く異なる。自衛隊では絶対に触れることがない異次元の作戦である。

それだけに、特殊作戦に関する教育訓練はどれも斬新で創造力を掻き立てるものである。それに加えて、こうした、スペシャル・オペレーション実務経験者から直接聞く話はとても貴重な体験であった。

俺は、空挺団に所属していた時に、小野田寛郎さんの小野田自然塾創設に携わって、福島県塙町（はなわまち）でランドナビゲーションコースの設計施工や、施設の設置を手伝った。その時には、自然塾に寝泊まりしていたので、小野田さんのルバング島での作戦経験を詳細に伺うことができた。多くの学びがあったことを思い出す。

やはり、実体験をした人から直接話を聞くことほど、学びが多く役に立つことはない。

特殊作戦は常にリスクに直面している。俺が、グリーンベレー留学間も訓練間に死亡事故があった。特殊作戦には死がつきものである。しかし、実戦を予定した死と隣り合わせの訓練は任務上必須であり、これを避けていたのでは実戦任務は遂行できない。では、如何にして安全を確保するのか。

それは、リスクがリスクでなくなるまで作戦能力を向上させることだ。事故を起こすのは実力が足りないからだ。特殊部隊の戦闘員たり得るのは、リスクを避ける者ではなく、自らの実力でリスクをなくすることができる者だ。

12　特殊作戦群の精神基盤

俺は、陸上自衛隊に特殊部隊を創設するために留学したが、そのためには特殊作戦群の装備の選考も必要であった。

ＪＦＫＳＷＣＳには、世界中の小火器（拳銃から自動小銃、機関銃等）のほぼ全てが揃っているが、銃器メーカーの試作品やオーダーメードの武器は、やはりメーカーに直接出向いて試射することになる。米国ではそれができる。カタログだけを見比べて、いくらスペックが良くても、欧米人に比べ掌のサイズが小さい日本人には向かない拳銃や、腕の長さが短い日本人にはストック（銃の肩当部分）が長すぎるライフル等がある。何よりも、自分たちが遂行するオペレーションに適しているかどうかということが一番大事である。

ということで、俺はできるだけ多くの銃器を実際に射撃し、取り扱ってみて、特殊作戦群に最も適した装備を選択した。また、潜入行動で使うパラシュートや潜水具等も実際に使ってみて何が必要なのかを確認した。弾薬や爆破資機材、光学資機材も多様で、戦術行動や作戦環境で使い分けなければならない。

米国と日本の法的に、あるいは輸出入規制上問題のない個人用装具、ギアやバックパック等は自費で買えるだけ購入した。おかげで、留学から戻ったときは、我が家の貯金がスッカラカンになっていた。

こんな具合に、俺は、特殊作戦群の創設と特殊作戦の運用に関するノウハウと能力をたらふく習得して帰国した。

それらにもまして、俺にとって、特殊作戦群長要員に指定されてからの約2年間で最も重要なことは、特殊作戦群長としての覚悟を固めることだった。10年がかりでようやくできた特殊作戦群の新編にあたり、ポンコツの指揮官が特殊作戦群の指揮を執ることだけは許されなかった。

俺には、特殊作戦群の指揮を執るために決めたことが三つあった。一つ目は、俺が一番日本を愛していること。二つ目は、俺が一番特殊作戦を理解していること。三つ目は、俺が一番の特殊作戦戦士であること。この三つが特殊作戦群の指揮官としての絶対条件だった。

一つ目は、俺は絶対の自信を持っている。俺は日本を日本たらしめるために生まれてきた日本の戦闘者だ。

二つ目と三つ目は、俺が新たに身につけなくてはならない課題だった。それについては、グリーンベレーに留学し、また、英国のＳＡＳ（Special Air Service、英陸軍の特殊部隊）やドイツのＫＳＫ等世界の特殊部隊と交わりながら自らの資質を磨いていった。

俺の場合、特殊作戦の理解や実力を身につけることに、武道で身につけた戦いの理合いや感性がとても役に立った。個人の戦いでも国家の戦いでも、戦いに共通する原理原則は同じだからだ。

この三つの決心以外にもう一つ、特殊作戦群群長になるときに決めたことがある。それは、特殊作戦群の指揮官を最後に自衛隊を辞めることだ。

戦後日本では、日本国憲法下の政治的枠組みの中で、日本の防衛は虚構と詭弁(きべん)の中で弄(もてあそ)ばれてきた。防衛そのものを否定する左翼勢力と、米国に依存する形ばかりの防衛で良しとする保守勢力の中で、真に国を愛し、国のために戦い、国のために死することを願う日本の戦闘者は、自衛隊の中でさえその志を実践する居場所がなかった。

このような真の日本の戦闘者の多くは、自衛隊の中で自分の本心を語らなくなるか自衛隊を辞めるしかなくなる。俺は、真に日本を愛する戦闘者が、全身全霊で国防のために力を尽くせる部隊を創らなければいけないと思った。それが特殊作戦群だ。もし俺が、その後の自分の自衛隊の中での立身出世や退職後の安定した生活のために妥協したのでは、そのような特殊作戦部隊を創ることなど到底できない。だから、特殊作戦群の指揮官を最後に自衛隊を辞めると決めたわけだ。

2003年10月、俺が帰国したときには、既に習志野駐屯地の第1空挺団内に特殊作戦群編成準備隊ができていた。後に、特殊作戦群副群長として特殊作戦群の創設の大きな力になってくれた宮本準備隊長から、準備隊の職を申し受け、翌2004年3月に特殊作戦群を立ち上げるための準備に取りかかった。

空挺団は、俺にとっては古巣だったが、陸上自衛隊の中で「精鋭無比」の看板を掲げる空挺団にとって、さらにその上の精鋭部隊である特殊作戦群の存在は気に入らなかった。フォート・ブラッグで三島瑞穂さんから聞いていた、第82空挺師団のグリーンベレー隊員に対する嫌がらせと同じことが生じた。

先ずは、空挺団に所属しながら空挺手当がもらえなくなった。元々空挺団あがりの隊員にとっては経済的に大きな打撃であった。空挺団長の決定を覆すことができなかった俺は隊員家族のみんなに謝罪した。

次には、自衛隊官舎に入れないという事態が生じた。空挺団割り当ての官舎は、空挺隊員優先で特戦群要員には配分しないということだった。しかも、一般住宅に入ると特戦群隊員は身分秘匿上の問題があり近所付き合いが限りなく限定される。そういうわけで、全国から選抜されて特戦群要員として転属してきた隊員の住居探しは混迷を極めた。保全上のストレスから奥さんが精神を病んだ隊員もいた。

そんな中でも、特殊作戦群要員の強者たちは、文句一つ言うことなく部隊創設に向け黙々と働いた。

部隊創設準備と並行して、俺が持ち帰った特殊作戦用の戦術・戦闘・戦技の訓練が始まった。これまで自衛隊では訓練したことのない内容ばかりの高度なスキルを養成するものである。素晴らしい集中力と吸収力で、日に日にスキルは向上した。本当に素晴らしい隊員たちである。

俺は、彼らの準備や訓練を指導する一方で、陸上幕僚監部との交渉を開始した。既に決まっている編成・装備の変更や、訓練施設の建設、特殊作戦群オペレーターの選抜要領、特殊作戦群独自の訓練基準の設定等やらなければいけないことは目白押しであった。それらを、いまだにレンジャーと特殊部隊の区別もつかない自衛隊高官に説明し、納得させるのには骨が折れた。

そうこうしているうちに、習志野駐屯地に特殊作戦群の隊舎が完成し、ようやくそこへ引っ越すことができた。計画では、特殊作戦群用に建てられたはずの物品倉庫や落下傘整備場は空挺団に持っていかれたので、隊員の居住スペースを潰して倉庫にする等いろいろ苦労はあったが、特殊作戦群の城ができたことは、隊員たちのモチベーションをより一層向上させた。

相変わらず、特殊作戦群隊員の駐屯地からの出入門を規制するなど空挺団からのいちゃもんはあったが、そんなことにかまっている暇はなかった。何しろ特殊作戦群は世界最強を目指しているのだから、一分一秒も無駄にできない。世界最強になるためには、米国やほかの国の特殊部隊のものまね訓練をしていたのでは不可能である。

そのために絶対必要なのが、心の問題である。精神基盤を確立して、自らが求める最強の目標に向かい全身全霊を使い切れる隊員を育成しなくてはならない。

俺は、その精神基盤を武士道に求めた。歴史上卓越した日本の戦闘者の精神基盤の上に、高度の戦術・戦闘・戦技能力を構築し、世界最強の特殊作戦群を創ることにした。それが、特殊作戦群の武士道だ。

特殊作戦群戦士の武士道

一　確たる精神的規範（正義）を有し生死の別を問わず事に当る腹決めをすること
一　臆せず行動できる勇気（気概）とこれを維持する気力（胆力）を鍛錬すること
一　事を成し遂げる実力（知力、技術、体力）を修養すること
一　言動を一致させ信義を貫くこと

〈確たる精神的規範（正義）を有し生死の別を問わず事に当る腹決めをすること〉

正義とは人から与えられるものではない。自分で確立するものである。自分の生死を問わず正しいと信じて行動できる精神規範がなくては、合理性に流され、従属的になり、自爆テロをも辞さない相手や自分より強い相手と戦うことなどできない。自衛官特有の「命令があればやります」とか「やるときはやります」みたいないい加減な態度ではなく、平素から自分の正義

に基づいて何をなすのかを決めておかなくては、いざというときに何もできない。

〈臆せず行動できる勇気（気概）とこれを維持する気力（胆力）を鍛錬すること〉

瞬発性の勇気では、特殊作戦はできない。如何なる悪条件下にあっても粛々と使命を遂行する気概が、死んでも持続するものでなくてはならない。それが胆力というものだ。自分の生き様死に様について腹決めをしたときの肚（はら）がそのままに力として発揚されるように、常に自分に言い聞かせるのだ。

〈事を成し遂げる実力（知力、技術、体力）を修養すること〉

自己の正義を具現するためには、知力、技術、体力が必要とされる。如何なる知識、技術、体力が必要かは、時を惜しまず、常に具体的状況を思い描いて貪欲に身につけることが必要だ。また、その気持ちが強く持続していれば、見聞きし体験する全てのことが自己の実力に反映し転化できるものである。

〈言動を一致させ信義を貫くこと〉

国を守るとは集団で歴史的持続性をもってなし続けなくては成し得ないものである。また、部隊は一つの生命体のようなもので、心を一つに一人一人が力を出し切ってこそ最強の部隊たり得る。我々の使命は、このように歴史的連続性の中にある集団の団結を守ることである。したがって、相互の信頼感は揺るぎのないものでなくてはならない。信義を貫くことこそが集団の団結を強固にし、歴史的連続性を保守することになる。

この特戦群戦士の武士道が、日々の一挙一動にまで具体的に反映されるようになるまで、隊員一人一人を徹底的に鍛えてこそ、世界最強の日本の戦闘集団が再現できるのだ。

13　隊員選考

大規模な戦争で機能したＧＩジョーのようなゴリラ型戦士の訓練目的は、一つの型にはめることだった。全員が一つになって一斉射撃できるまで反復訓練をさせ、兵士から主体性を奪った。「何も考えるな。命令通りに動け！」といったローマ以来の奴隷型戦士の育成が、ＲＭＡと呼ばれる軍事革命以前の常識だった。

しかし、既に紹介した通り、特殊作戦は通常作戦と違い、戦闘能力のほかに政治、情報、心理戦、民事等の能力も必要となる。特殊作戦を遂行するオペレーターに要求される資質は、高度の専門知識を持つスペシャリストであると同時に全体の動向を把握できるジェネラリストであること、自立した深い忠誠心と他者の心情を読み取る思いやりを併せ持つ社会のエリートで、政治も人情もわきまえた武士のような存在が手本になる。

簡単に言えば、言われたことしかできない奴隷型戦士は不要で、目的の実現に向かって主体的に考え、主導的に行動できる日本の戦闘者が求められる。

そういう特殊作戦のオペレーターを見つけ出す選考検査が最初の課題であった。体力気力は当たり前。人並み以上の創造性があり、発想の転換ができ、軍事的な思考を超えて前例のないオペレーションのアイデアを企画・運営できる資質を兼ね備えた奴を探し出さなくてはならなかった。

基本的に、自衛隊ではＧＩジョータイプの自衛官を育てているわけだから、言われたことを言われた通りにやると評価が高い。しかし、この種の人間は、言われないと自分で考えて行動するということはしない。自分の考えを持たず、規則通りお行儀良く立ち振る舞う。このようなタイプの自衛官は、どんなに体力・戦闘技能が高くても特殊作戦には向かない。どちらかというと、部隊では有り余った能力を充分に発揮できず、斜に構えて馬鹿な上司に堂々と食ってかかるようなタイプのほうが特殊作戦に向いている場合が多い。

創設当初、特殊作戦群の選考検査を受けるためには、先ずもって、レンジャーと空挺の特技が条件とされた。なおかつ、体力・気力に優れ評価の高い自衛官が選考検査を受験するため全国から集まってきた。しかし、上記のような理由で30％程度しか選考検査に受からない。

そうすると、師団長から直々に電話がかかってきて、「師団の中でピカイチの隊員を送ったのに、なんで不合格なんだ！」「お前のところの選考検査はどうなってるんだ！」「もうお前のところにうちの隊員は二度と出さない！」と怒鳴られることもあった。

本人や部隊の士気を考えればその気持ちも分かる。しかし、国家のために特殊部隊を創設するということは、個人や部隊事情に流されず厳密に人選をしなくてはならない。そしてそれは、長い目で見れば、自衛隊全体の士気向上に必ず役に立つ。俺はそう信じて、師団長から怒鳴られようが、陸上幕僚監部から苦情を言われようが、厳密なる選考検査を実施した。

　実際には、全国の部隊や機関から優秀な隊員たちが選考検査を受けに来てくれたおかげで、少数ながら本当に素晴らしい戦闘者が集まってきた。

　1年間の特殊作戦課程教育と部隊の教育訓練を通じて、彼らを、指示されなくとも自分で発想し、構想を練り、行動を組み立て、目的達成に向けて動ける特殊作戦のオペレーターに育てなくてはならない。

　俺が最初にやったのは、彼らのマインド・リセット、具体的には、常識にとらわれ、あるいは規則に縛られ自己抑制している心を解放することだった。

　繰り返すが、自衛隊では全体行動をする

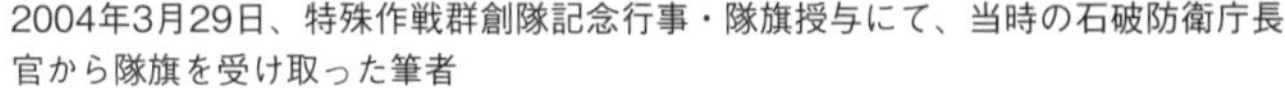
2004年3月29日、特殊作戦群創隊記念行事・隊旗授与にて、当時の石破防衛庁長官から隊旗を受け取った筆者

ため、決められたことを決まった通りに繰り返すことが慣習化しているので、自分で考えて行動するという行為を自己抑制する傾向が強い。

しかし、特殊作戦では、常に奇襲性が要求される。相手が考えもしない作戦行動や考えたとしても対応できないようなアイデアを要求される。したがって、今までの自衛隊での慣習を転換し、任務遂行のために創造力と柔軟性を発揮して、自分で考え行動しなくてはならない。彼らにはその資質がある。あとは、自己の才能と資質の発揚を抑制するレバーを開放すればよい。

先ずは、憲法9条下の政治状況と国民の反戦意識の中で、自衛隊は戦うことはない、危険な任務に就くことはないというマインドを変えなくてはならなかった。

現憲法下であっても、特殊作戦を遂行する我々は、命を捨てても任務を全うしなくてはならない事態がある、ということを認識させるために、儀式を執り行った。任務遂行中に殉職した仲間の霊を、特戦群全員で迎えて祀る依代（よりしろ）として、本部隊舎の正面に、鹿島神宮のお榊（さかき）を植樹した。作戦間に仲間が死んだら、任務遂行のため生を全うした仲間の霊を尊び、特戦群全員が死んだ仲間の思いと行動を決して忘れず、魂は永遠に共にあることを誓った。

自分の死を常に身近に感じ、死の恐怖から心を解放する。死の恐怖から解放されれば心は自由になる。思考の幅も突然広くなる。マインド・リセットだ。

次に教育訓練だ。自衛隊には訓練基準というものがある。個々の技術や行動ごとに、何をどの程度できればよいということが規定されたものだ。例えば、小銃で300m離れた的に何発打って何点以上得点すること、といったものだ。しかし、特殊作戦群創設時には訓練基準は存在しなかった。かといって、一般部隊と同じ訓練基準では永遠に特殊部隊はできない。したがって、陸上幕僚監部の許可をもらい、特殊作戦群のための教育訓練の基準づくりに着手した。それらは全て、特殊作戦を実戦する上で必要とされる最低限の能力である。米留学で体験してきた近接戦闘射撃を俺が先ず展示した。これが、先ずマインド・リセットになった。

これまでの自衛隊の常識では、安全管理上絶対にやってはいけない射撃だ。少しでも間違えれば仲間の命を奪う。しかし、一般には危険なことも、特殊部隊では安全に遂行できるようにならなくてはならない。

安全は自らの実力で確保するのが特殊部隊の戦士だ。訓練内容は常に死と隣り合わせだから、いい加減な訓練では本当に死んでしまう。特殊作戦を遂行するオペレーターとなるためには、今までとは、訓練内容が全く違うということを認識した彼らは、思考と行動の常識という抑制を解放した。特殊作戦にタブーは存在しない。任務遂行のため、あらゆるところに可能性を見出し実現していく。

射撃や爆破はもちろん、空挺団でもやっていないミリタリー・フリーフォール（夜間など視界不良時に集団戦術隊形を取りつつ、落下傘で自由降下や高高度から長距離空中潜入をするもの）、海上自衛隊でもやっていないミリタリー・ウォーターボーン（夜間や天候不良時に集団戦術隊形を取りつつ水中や水上から潜入や攻撃を遂行すること）、通信、メディック（戦場における予防衛生からトリアージ・救急救命・応急治療処置・搬送・看護等）、プランニング、インテリジェンス等々全てにおいてこれまでの常識を崩していく。

マインド・リセットというのは、口先や気持ちだけのことではない。身体、技能、知識、思考、精神など心身全てにおいて変わらなくてはならないのだ。そして何よりも、思考・判断、行動の基準となる日本の戦闘者としての価値観を自ら確立することだ。

例によって、特殊作戦群でも俺は隊員に言った。「俺に勝てる奴はいるか」。戦闘射撃、夜間山地走、武装障害走、特殊格闘、相撲等あらゆる戦技において、特戦群全隊員を参加させて戦った。

「群長には絶対負けねぇ」「ぶっ潰す」、みんないい気合が入った。特に2年目の相撲大会は、予選組別総当たりで上位者が決勝トーナメントに進めるのだが、「群長と戦いたいので群長と同じ組に入れてくれ」と言う奴らがいっぱい出てきた。俺は言った。「俺と同じ組になれば、お前ら全員予選で敗退するからやめとけ」。このときは、俺は決勝まで勝ち抜いた。決勝の相手は元空挺団のラグビー選手。こいつは強かった。俺が負けたとき、隊員全員大喜びしたもんだ。皆いい奴らだ。

特戦群は、やるべきことがいっぱいあるから訓練時間がやたら長い。しかし、彼らは、どんなに遅くなっても、夜中に勝手にラックサックマーチ（30〜50kgのバックパックを担いで長距離を早足で歩き続ける）や格闘訓練をする。

俺も、仕事が終わると、毎日特戦群の武道場に寄って汗をかくことにしていた。そうすると、「群長。ちょっとやりませんか」と戦いを挑んでくる隊員がいつもいた。「ああ、いいよ」。打撃、グラウンド、相撲など何でもありだ。こいつらと一緒にいい汗かいて官舎に帰る。

そこでまた、酒宴だ。俺の官舎には、いつ誰が来ても酒を切らすようなみっともないことをしないように、たらふく酒がストックしてある。部屋の壁沿いには一升瓶がずらっと並んでいた。そうして、盃を交わしながら、隊員たちと一緒に「生き死に」の覚悟を語り合う。実に美味い酒だった。特に、任務に出動する隊員たちとは、必ず徹底して酒を飲む。これが最後になるかもしれない酒だ。その覚悟で盃を交わした。

そういえば、特戦群の隊員は、自分たち特戦群戦士の歌まで自前で作ったよ。作詞作曲ともに特戦群戦士だ。なかなかいい歌詞なので紹介する。

特殊作戦群歌

1　日の丸にかざした剣（つるぎ）

今　心に誓い立ち上がる
空を仰ぐ清く輝く瞳
ゆるぎなき理想を求め
巌（いわお）の身となれ
嗚呼（ああ）
我らが流す血と汗は
土にしみこみ未来をつくる
正義と信義と不屈の勇気
世界に誇れる戦士
我ら特戦群

2

金色の光の鳶（とび）が
今この習志野に舞い降りる
邪気を祓（はら）い正義を立てて
闇に明かりを灯しうる勇者となれ
嗚呼

身を捨てて心を生かす
武勇極めたる精鋭の
志は高く誠を貫く
歴史に名をはす戦士
我ら特戦群

世界にあふれる光
我らの力で

この歌を、特殊作戦群創隊記念行事のときに全員で歌ったら、石破茂防衛庁長官（当時）が「自衛隊でも、ついに血を流し身を捨てる気概の部隊ができましたね」と言った。

特殊作戦群隊員の覚悟を歌で察してくれた石破大臣には敬服したもんだ。

２００４年3月29日は、日本の戦闘者の部隊が立ち上がった記念すべき瞬間だったよ。

14　桁外れに凄い部隊

特殊作戦群の部隊章も自分たちで考案した。ドクロとかサソリのようなゲテモノの絵柄はまっぴらだ。分別のある最強の生きものである日本の戦闘者に成るのだから熊や虎、鷲や鷹はだめだ。何よりも、日本を守るのだから、日本の歴史伝統に基づくものでなくてはならない。

そこで、先ずは日本の中心である皇祖皇宗（こうそこうそう）を顕す（あらわす）「御日様（あまてらすおおみかみ）」を真ん中に置くことにした。次に、日本の武を顕す武甕槌神（タケミカヅチノカミ）の剣「韴霊（ふつのみたま）」を正中に立てた。次に、神武天皇東征の折に勝利へと導いた「金鵄（きんし）」を中央下に描いた。次に、身を捨て心を生かす日本の戦闘者の死生観を顕すために「桜」を剣の柄に記した。そして最後は、日本の戦闘者の魂の依代として「榊」を左右に囲った。こうしてできたのが「特殊作戦群の部隊章」である。

この部隊章を身につける以上、相応の自覚と覚悟が必要だ。実際に、特戦群の隊員は、この部隊章に恥じることのない凄い奴らだったよ。

部隊発足と同時に、「イラクにおける人道復興支援活動及び安全確保支援活動の実施に関する特別措置法」に基づいて、２００４年以降、イラク派遣された陸上自衛隊の部隊の安全確保のために、特戦群のチームも派遣された。本隊とは別に、俺のほかに見送りもない空港で、混乱の続くイラク南部の町サマーワに出発する４名の特殊部隊戦士を見送った。心が定まった様子で、肩の力が抜け、こともなさげにイラクへと歩み出した彼らの雄々しい後姿を忘れることはできないよ。特攻兵士もかく在っただろうと思えたもんだ。奴らの任務は要人警護、部隊警備を主とするも、イラクでの人道復興支援活動の目的を達成するために必要なあらゆることをしなくてはならない。出発までには、一般的な軍事訓練を遙かに超えた特殊戦技能を磨いた。それは、単に近接戦闘射撃、情報活動、救急救命、緊急事態対処等にとどまらず、現地の人たちとの心の交流ができるようにアラビア語を学び、コーランを学習した。しかし、最も重要なのは、イラクの地で日本人の真価を発揮できるよう、武士道精神を身につけて出発したということだ。彼らの任務遂行手段は、武器に頼らず、日本人としての真心だったな。

第一次派遣隊が、サマーワ・ベースを開設して間もなく、未完成のベースに対して迫撃砲による攻撃があった。このときの俺に対する特戦群派遣隊員の一報は、「群長。このときを待ってました。ようやく自衛隊に入った甲斐がありましたよ。では、行ってきます！」。彼らは弾の下で行動できることを嬉々として伝えてきたもんだ。

彼らのリーダーは、サマーワの人々から「サオディー（幸福）」と呼ばれるようになった。「お前にはイラク人の血が入っているはずだ」と言われるほどに、彼らは現地の人々に溶け込んだ。青森出身のリーダーには夷（えみし）の血が流れているせいか少々毛深いので、確かによく見るとイラク人にも見える。

そして、彼らは帰国間際に連絡してきてこう言った。「群長。俺らこのまま残留してイラク復興のための活動を続けたいですが、どうですかね」。これほどまでに現地の人々から信頼され、自分たちもまた真心で現地の人々の幸福のために行動する。他の国の軍隊にはあり得ない話だよ。

俺も、彼らの気持ちをかなえさせてやりたい思いは強かったが、政府の命令で行っている以上そうもいかない。「そうか。ま、とりあえず一回帰って来いよ」と返事をした。

その中の一人は、帰国してすぐ癌（がん）を宣告された。ステージ4だった。彼は死ぬまでイラクでの任務復帰を強く要望していた。痩せこけてミイラのようになっても仕事を

自衛隊イラク派遣（2003～2009年）では、特殊作戦群は2004年から参加した。イラクの古代都市ウルの遺跡ジッグラトにて。王家の墓でピラミッドのようなものだ。中央が筆者

続け、任務に就かせてくれと言い続けていた。彼が死んだときは、彼の願い通り、同僚隊員らが彼の棺桶を担いで駐屯地を巡り全員で魂を送ってやった。

また、別のチームで派遣されていた特戦群の隊員は、派遣間に奥さんが亡くなるという不幸に遭遇した。彼は、奥さんの葬儀のために帰国した。俺は彼に「代わりの隊員を派遣するから、お前はこのまま残ったほうがいいんじゃないのか」と訊いた。すると彼は、「群長。俺は任務遂行中です。途中で任務を放棄するわけにはいきません。そんなことをしたら死んだ妻に申し訳ない。身の回りのことを諸々片付けたら、できるだけ早くイラクでの任務に戻ります。チームの奴らが待ってます」と言って、イラクに戻っていった。

どんなに頭が良くても、技術に長けて体力があろうが、この精神がなくては戦闘者としては話にならない。それは、個人だけの問題ではなく、家族全員が、この精神を尊重しているということが大事だ。マイホームパパや嫁の顔色を窺う(うかが)ような奴は戦闘者には向かない。

俺は、イラク派遣前の隊員とは、しこたま飲んで語り合った。そして彼らに言ったのは、「今回の作戦は現地の人たちの心を獲得することが大事だぞ。それは、派遣部隊の安全を確保するための要件だ。しかしな、それだけではないんだ。日本人の真心でイラクの人々を感化し、日本の歴史・文化・伝統の中にある社会秩序と人倫道徳を実践してみせろ。そうして、彼らが幸せで豊かな国家・社会をつくる手掛かりが日本にあるということを示すんだ。それが、日本の戦闘者としてのお前らの任務だよ」

「そのためにはな、ＩＥＤ（Improvised Explosive Device〔即席爆発装置〕）のテロなどを食らったときに、米軍から教わったように真っ先にその場から逃げて、その後そこらじゅうの怪しい奴らをぶち殺すようなことをしては絶対にダメだぜ。ＩＥＤを食らったら、先ずはその場にいた現地の人々に声をかけろ。『皆さん、大丈夫でしたか。怪我はありませんか』とな。そして、もし怪我人がいたら、すぐに救命や手当をしろ。その後、仲間の救命と手当だ。仲間が死んでもうろたえるな。きれいに現場を片付けて、『皆さん気を付けてください』と言って粛々とその場を立ち去れ。そうすれば、現地の人々はお前らの味方になる。テロリストも再び襲うことはしない」

「まあ、お前らだったら大丈夫だ。頼んだぜ。イラクと日本を」

酒を飲みながらも、決して乱れることのない彼らは、俺の話を静かに聞きながら頷(うなず)いていた。彼らからは、決断の気概が漂っていた。決心は、物事を決めるだけだから容易である。決断は重い。断つことを決めるのだ。いろいろな情念、欲望、人間関係、特に家族のこと、そして自分の命。これら全てを断って全身全霊で任務行動に当たるのだ。

かといって、悲壮な思いでそこに向かうわけではない。すっきりと晴れ晴れした気持ちであり、力がフツフツと湧いてくる感覚だ。今どきの映画やドラマは、戦争や特攻といえば、重苦しい悲壮感漂う情景の中で涙を流しながら戦闘に向かう兵士の姿を描くようなものばかりだ。反吐(へど)が出る。日本の戦闘者を馬鹿にするのはやめろ。そんな女々しい生き物じゃないんだ。日本の戦闘者は、戦って日本を守るために生まれてきたんだ。先人に恥じない生き様死に様だけを考えて生きているんだ。身を守るために自分の本心を裏切り、心を殺し、思いを断念して生きるような見苦しいことはしない。心を生かし身体を使い切る。思いを貫き本心で生きる。大丈夫の気概こそが日本の戦闘者の生き方だ。

俺は、こういう奴らと共に特戦群を立ち上げ、共に訓練し、任務遂行に当たった。最高に幸せな時間と空間だったよ。

こまごましたことは、秘密保全上言えないので、特戦群のことはこのへんにしとく。この本を読んでいる人らが考える以上に特戦群というのは桁外れに凄い部隊だよ。そういう奴らが、まだこの日本にいるんだから安心してくれ。あいつらは必ずやってくれる。そして何より、俺はまだ日本の戦闘者として現役だからな。日本は大丈夫だよ。

15 依願退職

特殊作戦群長を下番するにあたって、予(かね)てから決めていた通り、辞職願を陸上幕僚長に提出した。

当時の陸上幕僚長、陸上幕僚副長、人事部長は、それまで直接仕事でお世話になった人たちだったので申し訳ない気持ちはあったが、ちゃんとした特殊部隊を創るため、陸上幕僚監部の指導に対し強く意見を申し立て、だいぶ敵をつくってきたので、組織人としては身を引くべきだと判断した。

ところが、このときちょうど、第一次安倍内閣が国家安全保障会議（日本版ＮＳＣ）を立ち上げる法案を国会に提出し、官邸の安全保障機能を充実させる動きが具体化してきていた。

特殊作戦群を創設するときから、俺が防衛大臣をはじめ関係者に常々意見を言っていたのは、特殊作戦群の指揮系統の問題である。特殊作戦は、通常の軍事作戦とは異なり、極めて政治的にセンシティブな要素を含む任務遂行に当たる。

例えば、人質救出作戦だ。海外で武力集団に捕まった邦人を救出するとすれば、人質の生命のリスク、近傍にいる一般人や第三者の生命のリスクのほか、海外での武器使用等について政治的判断が不可欠になる。また、人質救出作戦自体が国際政治に及ぼす影響も大きい。このような重大な政治性を帯びた作戦行動の責任は自衛隊では負うことができない。自衛隊の指揮官が責任を負えるのは、作戦の成否と作戦に従事する自衛官の生命のリスクの問題だけだ。一般人の生命に関することや政治的判断を下す権限は有しない。

そうなると、特殊作戦を遂行する場合、作戦の責任を負えるのは総理大臣のみであり、総理大臣が作戦の指揮を執るほかに選択肢がない。これは、どこの国でも同じで、この種の作戦を遂行する場合は国政の最高責任者が指揮を執るようなメカニズムが確立されている。

例を挙げると、１９８０年4月30日にロンドンにある駐英イラン大使館が、6名の反ホメイニ派イラン人テロリストにより占拠された所謂（いわゆる）「駐英イラン大使館占領事件」では、サッチャー首相が英国特殊部隊ＳＡＳの人質救出作戦「ニムロッド作戦」の指揮を執った。その結果、人質26名を解放しテロリスト5名を射殺したが、同時に人質2名が死亡し2名が負傷した。この作戦の全ての責任は、サッチャー首相が取った。

また、２０１１年5月2日、パキスタンのアボッターバードにあるウサーマ・ビン・ラーディンの住居を急襲して殺害した「ネプチューン・スピア作戦」では、オバマ大統領が米国特殊部隊の作戦指揮を執った。その結果、無抵抗のウサーマ・ビン・ラーディンと女性を含む5名を射殺した。この作戦の責任は、オバマ大統領が取った。

日本においても、仮に海外において邦人救出作戦を遂行する場合は、特殊作戦群の作戦指揮は内閣総理大臣が直接執れるようなメカニズムの構築が必要である。

そういう意味で、国家安全保障会議が官邸の機能として整備されれば、特殊作戦の指揮メカニズムの構築に明かりが見えてくる。そのようなこともあって、陸上幕僚長から直接、俺の辞職願の受理は保留するとの指示があり、それに従った。

そして俺は、朝霞駐屯地にある研究本部の室長という職で、自衛隊に残留し国家安全保障会議の立ち上げを待つことにした。研究本部というのは、陸上自衛隊の各職種学校等が持っていた研究組織をまとめて設立された、陸上自衛隊の研究機能を統括する機関である。

俺の自衛官経歴の中で、防衛行政の中の研究開発に従事した年数は結構長い。調査学校研究部では「無人偵察機」「防衛偵察衛星」等を担任、空挺教育隊研究科では「新空挺傘」「レンジャー訓練の在り方」「空挺団の在り方」等を担任、陸上幕僚幹部防衛部研究課研究班では「長期陸上防衛力見積もり」「陸上防衛力の在り方」等を担任、内局防衛局防衛政策課研究室では「長期的防衛力整備の在り方」「朝鮮半島問題」等を担任、そして研究本部では「法務」「服務」「警務」「人事」「兵站（へいたん）」「平和構築活動における軍民関係」等を担任した。これらを全部合わせると約9年間、研究開発行政に関わったことになる。

研究開発という職域は、新しい組織、機能、装備等を創造したり、従来の在り方を見直し改善するためのプランニングが主たる業務である。これは俺の性分に合っていた。武道稽古を自己修練の道にしていた俺にとって、日々、改善と創造の実を上げることが稽古の目的であった。

いい汗流すなどというのは論外で、筋力や持久力のような体力向上は稽古の目的ではない。技を通じて人間そのものの改善や新たな気付きを具現できたとき、初めて稽古をしたと言える。逆に言えばそのような実成果を体感的に確認できるまで稽古は続けるものだ。

そして、一歩前進するとまた新たな課題が次々に見えてくる。これを続けることにより、生きている限り人間としての成長があるわけだ。俺は、このような感性を身につけていたので、仕事においても常に改善と創造の実を上げることを目標とした。

与えられた仕事をこなすだけの業務態度は腹が立つ。所謂役所仕事と言われる法規に則ったマニュアル通りの仕事もうんざりだし、予算やポストを取って成果とするような仕事はまっぴらだ。

仕事は必ず良い成果の実を上げなくてはならない。良い成果とは、国家・社会を構成する民の共生・共存・共栄を促すことだ。だから、自衛隊の改善創造に関わる研究開発業務はやり甲斐があった。それによって、少しでも日本の防衛力向上に貢献できることを目標として勤務した。

他方、国家安全保障会議の立ち上げにも間接的ながら関わっていった。関係者の面々とは連絡を取り合いながら、諸々の準備を進めていた。日本の安全保障と防衛にはなすべき課題が山ほどある。それらの課題に対し具体策を練り成果の実を上げることは、本当にやり甲斐のあることである。

ところが、２００７年８月、突如安倍総理の体調不良によって第一次安倍内閣は総辞職。続く福田内閣になると、国家安全保障会議設置関連法案は廃案となった。

これで、自衛隊に残る意味はなくなった。上司に相談に行くと、もうすぐ将補に昇任するとか、今退職すると退職金が半分になるとか言われた。俺のことを思ってくれたのだろうが、そういう問題じゃない。即刻、辞表願を再提出した。幸い、研究本部長は、俺の気持ちをよく理解してくれ退職を了解してくれた。

当時の防衛大臣は、俺の辞職を大変心配してくれたので、退職手続きにかなり手間取ったが、予定通り退職することとなった。

１９８２年3月に陸曹長幹部候補生として陸上自衛隊に入隊以来約26年勤務した陸上自衛隊を、２００８年1月、48歳で依願退職した。戦後体制の中の欺瞞(ぎまん)だらけの防衛法制や防衛政策の影響を受け、ゆがんだ体質の自衛隊ではあるが、多くの同志と本物の日本の戦闘者に巡り合えたことは大変に有り難いことだったよ。

16　明治神宮至誠館

自衛隊を退官した俺は、長年構想を練っていた「百姓侍村」の創設を考えていた。「百姓侍村」とは、その名の通り、サムライつまり日本の戦闘者たちによって運営される百姓の村だ。

俺たち日本人の祖先が、長い歴史の中で汗水たらしてつくってくれた日本の国土と文化。祖先の思いを引き継いで、さらに豊かな日本をつくり上げるため天地一和（いっか）の直耕に日々全身全霊を尽くす。そこに家族愛、郷土愛そして国を愛する気持ちが醸成される。その大切なものを物理的にあるいは思想的に破壊する者らとは妥協なく戦う。それが日本を守り抜く日本の戦闘者の使命だ。

靖國の英霊たちが生を賭して戦い守ろうとしたのは、家であり郷であり天皇陛下と国民でつくり上げてきた伝統日本だ。

主権とか、領土とか、国民なんていう外国人が発明したような薄っぺらいものではない。今の日本は、その一番大事なところがすっぽりと抜け落ちてしまって、日本人でありながら日本のことを何も知らない。そんないかさま日本人が、本当の日本を守れるはずもない。

本当の国防に従事するためには、我々日本人の祖先がそうしてきたように、日本の国土に根差し、その土地の自然とそこに生きる人々と生を共にし、歴史を共有し、共に将来を築かなくてはならない。そのような生き方をしようと考えていた。

そこで、周りの同志に声をかけてみたところ、それなりの者たちが賛同してくれた。ところが、いくつか問題があった。その第一は、ピンと気に入る土地が見つからないことだった。10年近くかけて故郷の秋田、関東一円や北陸、信州、東海まで足を延ばして捜し歩いたが、予想以上に日本の国土の非日本化が進んでいた。所謂伝統的〝在所共同体〟といわれる日本の村落が見つからなかったのだ。

例えば、俺の田舎秋田県大館市。荒谷家が先祖代々住んでいた大葛金山(おおくぞきんざん)という集落は完全に解体して存在していない。それどころか〝在所共同体〟をつくる基盤すらない。もちろん、俺一人でそこで山林を開拓し生存自活することはできる。しかし、それは日本の再生とは全く関係のない、今どきの個人主義的スローライフになってしまう。定年後の田舎暮らしのような、自分の人生だけを楽しむことなどしたくない。あくまでも、伝統的日本の集落をつくり、日本の再生の基盤とすることが目的だ。その村を運営すること自体が日本の防衛でなくてはならない。

第二の問題は、俺と共に村をつくろうという奴は皆戦闘者ばかりだった。それはそれで頼もしいし、戦闘やサバイブしていくのは最高の百姓侍村なのだが、伝統的日本の共同体づくりには適さない。周りの人たちから完全独立した戦闘者の村になってしまってはまずい。これでは日本再生の基盤たり得ないということに気付いた。

そうしているときに、明治神宮武道場至誠館二代目館長の稲葉稔氏から館長を引き継がないかという話が来た。

最初は断った。というのも、俺は戦闘者ではあるが、戦闘をしない現代的武道家ではない。俺は、戦闘者に対し戦闘精神と戦闘技能を教育訓練することはできるが、一般人特に女子供に武道の技を教えるような能力はなかった。

しかし、よくよく考えると、明治神宮に奉職するということは明治天皇に仕えることになる。これは、日本の戦闘者としては誉であり、天皇陛下に忠を尽くす日本の戦闘者としての正しい在り方であった。また、武道を通じて戦闘者以外の人々との繋がりもできるであろう。いろいろ考えた結果、俺は明治神宮至誠館館長の職を受けることにした。

2008年、明治神宮に奉職し、翌2009年10月、正式に明治神宮武道場至誠館館長となる。

明治神宮武道場至誠館は、明治神宮御祭神明治天皇の大御心に副い奉る国民の精神養成を目的としており、また武道場創設に関わった葦津珍彦先生の影響もあり、武術だけではなく「武学」を教育することを特徴としている。

その武学担当師範であったのが、俺を自衛隊へと導いてくれた島田和繁先生であった。島田先生とのご縁で、二十歳から至誠館に通い出した俺にとって、「武学」は俺の生き方を考える上でとても大事なものであった。

至誠館には、「武学」のほかに武道実技科として「弓道科」「柔道科」「剣道科」「武道研修科」がある。また、全日本弓道連盟の本部道場も兼ねる弓道施設を有しており、弓道においては名実ともに日本を代表する道場である。

至誠館館長就任当時の筆者

至誠館館長となった俺は、「武学」を担任し、また、「武道研修科」で剣術と体術等を教えることにした。「武道研修科」というのは、合気道と鹿島の太刀を指導する科だ。武道研修科の門人は、初代館長田中茂穂先生が至誠館館長就任以前から指導していた東京大学、中央大学、専修大学等の合気道部の学生およびOB・OGが大多数を占めており、一般社会人の門人は少なかった。俺が館長就任後、一般社会人の門人数は増えたが、自衛官門人はほとんどいない。そこで俺が館長としてできることの一つとして、至誠館において日本の戦闘者を育てることを決めた。

明治神宮の御祭神明治天皇は、西郷南洲翁や山岡鉄舟などといった無類の日本の戦闘者がお世話役を務めた天皇陛下で、武人の気質を有していた。また、日本陸海軍軍人に対し軍人勅諭を渙発して「朕は全軍人の総大将である。だから、朕はお前たちを手足のように信頼する臣下

至誠館での稽古の一コマ

真剣による稽古

と頼み、お前たちは朕を頭首と仰ぎ、その親しみは特に深くなることであろう。朕が、国家を保護して、天照大神の恵みに応じ代々の天皇の恩に報いることができるのもできないのも、お前たち軍人がその職務を尽くすか尽くさないかにかかっている。我が国の威光が振るわないことがあれば、お前たちはよく朕とその憂いを共にしなさい。我が国の武勇が盛んになり、その誉れが輝けば、朕はお前たちとその名誉を共にするだろう。お前たちが皆その職務を守り、朕と一心になって、力を国家の保護に尽くせば、我が国の人民は永く平和の幸福を受け、我が国の優れた威光は大いに世界の輝きともなるだろう」とまでおっしゃった天皇陛下だ。

その明治天皇を祀る明治神宮の武道場に自衛官が集い、日本の戦闘者としての心身を鍛錬することは、さぞかし御祭神がお喜びになることだろう。

とはいっても、至誠館の指導者も門人も皆一般人で、自衛官の体力をフルに発揚できるような稽古はできず、戦闘者の育成は難しい環境であった。

そこで、俺の舎弟で本物の戦闘者である稲川義貴を指導員に入れ、自衛官の稽古時間「自衛官クラス」を新設した。「武学」で日本精神を学び「自衛官稽古」で身体を鍛える。これは自衛隊の中でもできていない本物の日本の戦闘者を育成するための場となった。

そのうち、参加していた自衛官からの要望で、自衛官としての能力向上に直接繋がるように、道場ではなく実際の山林地形を利用した場所での稽古を開始することとなった。これが、現在も続いている自衛官合宿の始まりである。

奥多摩の山中、使えるのは自分の心と身体だけの対抗方式による終日の戦い。任務を達成するためにチームワークと戦術と技能・体力・知力そして精神をフル稼働させて行動する。サバゲーでやっているペイント弾やＢＢ弾等は使わない。使用する武器は己の身体だ。タックルであり蹴りであり鉄拳だ。行動エリアは数十㎞に及ぶ。しかもゲームではなく、自衛官として実任務に直結するための能力向上を目的としているので実戦同様ルールはない。自分たちで見積もりをし、自分たちで計画を立てる。頭も体力も使うし痛みも伴う。夜間の山中は滑落などの命のリスクも伴うので自分たちで安全管理も考えなくてはならない。

自衛隊の演習のように何から何まで管理された枠組みはないので、結果は戦ってみないと分からない。本気度と緊張度が違う。

そして何より、最後の戦闘結果の評価と教訓化は、全て自らが行う。人から褒められて浮き上がったり、人から非難されてしょぼくれたりするようじゃ話にならねえ。人が何と言おうが、自分が満足するまで自分を鍛え抜く。日本を守る戦闘者としての実力は、常に自己の責任において育むものである。

自衛官の中には、国を守る責任感もなく愛国心もない者がいる。このような自衛官は、当然、戦闘者としての自覚もないので実力をつけようともしないし、日本を守るための実戦のことなど考えようともしない。唯々《ただただ》、だらだらと大過なく定年を迎えることだけを考えている。自分が全く国民の負託に応えていないことを棚に上げて、真面目に国を思い寸暇を惜しんで実力を養おうとする自衛官を変人扱いし、愛国心を口にしたり靖國神社へお参りに行くと、お前は右翼かなどと服務指導をする。

こんな腐った自衛官だらけの中でも、俺の自衛官合宿に来る自衛官は、国を愛し国を守るために休暇を惜しんで自己の能力の向上を図ろうとしている。

国民が期待しているのは、このような自衛官である。彼らこそ、現代の日本の戦闘者である。俺は、自衛隊を辞めた後も、明治神宮至誠館の館長として、こいつらのために力になることができて嬉しかったよ。

17　武道精神を通じての国際交流

明治神宮武道場至誠館の館長として力を入れたことの一つに、海外の日本武道を学ぶ人らに日本文化を正しく伝え、世界的に同志をつくることがあった。

海外では、日本人の想像を超えて日本武道に対する関心が驚くほど高い。この人たちは、単に術技として武道に関心を持っているだけではなく、その精神性、つまり日本文化に対して強い関心と敬意を持っている。これは俺自身驚きであった。

自衛官時代には、ドイツ留学や米国留学のほか、国際軍事交流で米国、ロシア、中国はもとより欧州、アジア、豪州等に出張し、多くの国々の軍人と対話した。また、世界特殊部隊会議等の国際会議や多国間軍事セミナー等に日本代表で参加してきたが、日本人に対する敬意の念のようなものは感じられなかった。

軍事という実力組織の場では、米国と憲法に管理された〝戦わない自衛隊〟に対して、どこの国の軍人も敬意を抱かないのは当然である。

他方、世界の軍事大国と同等以上に戦った日本帝国陸海軍に対する畏怖の念はいまだに強い。例えば、ドイツ留学のときに強く感じたのは、頻繁にテレビで放映される特攻隊員の映像を見て、ドイツ人をはじめ海外の多くの人たちが日本の戦闘者に強い尊敬の念を持っているということであり、世界中の軍人が「いざとなると日本人は特攻戦士のような強さを現すのではないか」という畏怖の念を持っているということであった。

俺たち日本人は、先人が鬼神のような戦いぶりをしたことによって恐れられ警戒されて安全を保っている。つまり、日米同盟とかへなちょこ憲法とかで日本の安全が保たれているのではない。日本の戦闘者が世界に示した歴史によって日本が守られているということだよ。

自衛隊を辞めて、日本武道の指導者として海外に渡り、あらためてそのことを確信した。「私は神風の精神を学ぶために日本武道を志した」というスイスの女性の言葉はそれを象徴していた。

俺は先ず、明治神宮武道場至誠館に稽古に来る欧州を中心とした海外の武道家に声をかけ、国際至誠館武道協会（略称ＩＳＢＡ〔International Siseikanbudo Association〕）の設立を呼びかけた。２００９年に創設したＩＳＢＡの初代会長は、元在日ポーランド大使で、その後ポーランド外務副大臣に就任したイエジ・ポミャノフスキー氏だ。

創設時９ヶ国14道場で始まったＩＳＢＡ（俺が館長をしている間に12ヶ国45道場に拡大）の設立主旨には、〈武道は日本の伝統文化に根ざしたもので、今日の世界的人類遺産の中でも極めて価値のあるものの一つである。日本武道の力と簡潔な美しさは、人間を惹きつける特有の精神と結びついており、そしてその精神は日本人のエートスとも言える基礎を形成している。

それによって、我々は世界の運命を正しく豊かな道へと導くため、民族間の理解と親和を強化するに努めようと思う。〉と記されている。

この趣旨で大事なのが、武道は日本の伝統文化であるが、実はそこには世界の民族に共通的に存在するエートスが含まれているのだと言っているところだ。彼らは、日本の武道精神には人類共通の普遍的精神価値が存在すると考えているのだ。

ＩＳＢＡの主催する国際武道講習会は、毎年、国と都市を変えて開催された。これらの講習会に参加した人々の声をいくつか紹介する。

イスラエル人でオックスフォード大学で哲学の教鞭を執っていた参加者は「私たちは皆、恩恵を与えてくれた祖先に借りがあり、その借りを次世代に返す役割があります。この恩恵に対する『感謝のこころ』は伝統的社会では受け継がれていても、個人主義的な現代社会では失われています。

日本の社会には『感謝のこころ』がしっかりと認識され、存在していることを知りました。この『感謝のこころ』は、日本だけでなく、世界の国々の多くの文化で共感できる価値観だと思います。この『感謝のこころ』を持つことによって、人々が同じ土台に立てるのです」と言う。

香港から移住した中国系英国人のエンジニアは、「日本の文化には、他人に対する思いやりとコミュニティーの統合力が存在します。日本人は気が付かれないかもしれませんが、他人へ

ISBA講習会inポーランド

ドーバー海峡で禊行（みそぎぎょう）を執り行う海外門人と筆者

の配慮や思いやりの文化は、日本社会の隅々まで浸透している神道のおかげだと私は確信しています。祖先を崇拝し、自然や人々との親交を大切にする考えは人間が存在する本来の意味であると思います」と言った。

2011年、東日本大震災があった年、フランスで開催されたISBA武道講習会の開催趣旨は次のようなものであった。「市場中心のグローバル資本主義によって、我々は本来人類が歩むべき正しい路線から著しく逸脱しつつあり、人類はおろか地球環境全体までも荒廃へと突き落とされかねない危機に瀕している。我々は、武道を通じて、この現状を再考し人間の本来の立ち位置に戻ることを提案したい」

この講習会に参加したフランス人女性は、騎士道と武士道の違いについて次のように説明した。「騎士は貴族の奴隷の中から生まれ、後に教会が軍事力を所有するに際し、野蛮な騎士に規範は、騎士にとって主に当たる教会と貴族が革命により失権したことで、完全に消滅した。この従属的倫理規キリスト教の倫理規範を宣誓させた。それが騎士道と呼ばれるものである。この従属的倫理規範は、騎士にとって主に当たる教会と貴族が革命により失権したことで、完全に消滅した。

他方、日本武士道は人間個人が主体的に確立する倫理規範であり、教会や貴族等の権力に従属するものではない。だから、日本において近代化が起こり武士が消滅してもなお武士道は存在し続けている」

このあたりのことは、実際に騎士道の文献——2で少し触れた——と武士道の文献を比べてみれば一目瞭然に理解できるから紹介するよ。

先ずは、騎士道文学の研究者ゴーティエの掲げる騎士道「十戒」を見てみる。

1 不動の信仰と教会の教えへの服従
2 社会正義の精神的支柱であるべき〝腐敗無き〟教会擁護の気構え
3 社会的、経済的弱者への敬意と慈愛
4 自らの生活の場、糧である故国への愛国心
5 共同体の皆と共に生き、苦楽を分かち合うため、敵前からの退却の拒否
6 我らの信仰心と良心を抑圧・滅失しようとする異教徒に対する不屈の戦い
7 神に対する義務と争わない限り封主に対する厳格な服従
8 真実と誓言に忠実であること
9 惜しみなく与えること
10 悪の力に対抗して、いついかなる時も、どんな場所でも、正義を守ること

もう一つは、有名なテンプル騎士団に対して聖ベルナールが授けた騎士道だ。

・キリストの兵士が剣を持ち歩くのは、故ないことではない
・それは邪悪を懲らしめ、正しい者の栄光のためなのだ

この形式を真似しているのが、今の公務員や自衛官の服務宣誓だ。与えられた倫理規範を読み上げて宣誓とし、その倫理規定に従うことを義務付けるというものだ。そして、この倫理規定は、公務員や自衛官を辞めると跡形もなくなる。それは、元々自分のものではないからだ。その文章を作った教会や役所との縁が切れたら何もなくなる。

他方、武士道はどうだろうか。先ずは宮本武蔵の武士道『獨行道』を見てみる。

『獨行道』　宮本武蔵

一、世々の道をそむく事なし
一、身にたのしみをたくまず
一、よろづに依怙の（他を頼む）心なし
一、身をあさく思い、世をふかく思ふ

一、一生の間よくしん（欲心）思はず

一、我事におゐて後悔をせず

一、善悪に他をねたむ心なし

一、いづれの道にも、わかれをかなしまず

一、自他共にうらみかこつ（恨み嘆く）こゝろなし

一、れんぼ（恋慕）の道思ひよるこゝろなし

一、物毎にすきこのむ事なし

一、私宅におゐてのぞむ心なし

一、身ひとつに美食をこのまず

一、末々代物なる古き道具所持せず

一、わが身にいたり物いみする事なし

一、兵具は各（格）別、よ（余）の道具たしなまず

一、道におゐては、死をいとはず思ふ

一、老身に財宝所領もちゆるこゝろなし

一、仏神は貴し、仏神をたのまず

一、身を捨ても名利はすてず

一、常に兵法の道をはなれず

次に山岡鉄舟が15歳で自らを戒めた武士道「修身二十則」

「修身二十則」（山岡鉄舟、15歳）

一、嘘を言うべからず
一、君の御恩忘れるべからず
一、父母の御恩忘れるべからず
一、師の御恩忘れるべからず
一、人の御恩忘れるべからず
一、神仏ならびに長者を粗末にすべからず
一、幼者を侮るべからず
一、己に心よからず事　他人に求めるべからず
一、腹をたつるは道にあらず
一、何事も不幸を喜ぶべからず
一、力の及ぶ限りは善き方に尽くすべし

一、他を顧して自分の善ばかりするべからず
一、食する度に農業の艱難をおもうべし、草木土石にても粗末にすべからず
一、殊更に着物を飾りあるいはうわべを繕うものは心濁りあるものと心得べし
一、礼儀をみだるべからず
一、何時何人に接するも客人に接するよう心得べし
一、己の知らざることは何人にてもならうべし
一、名利のため学問技芸すべからず
一、人にはすべて能不能あり、いちがいに人を捨て、あるいは笑うべからず
一、己の善行を誇り人に知らしむべからず　すべて我心に努むるべし

最後に大楠公楠正成の武士道「壁書」だ。

「楠公壁書」
一、君の爲に身を捨つるを忠と云ふ
一、親の心に背かずして良く仕ふるを孝と云ふ
一、老いたるを敬(うやま)ひ　士卒を撫育し　國民を憐れむを仁と云ふ

一、一度び諾して變ぜず始終全きを義と云ふ

一、謙退辭讓を禮と云ふ

一、籌策を帷幄の中に運らし勝つことを千里の外に施すを智と云ふ

一、苟も虚言を構へず信を失ふべからず

一、遠慮なき者は必ず近憂あり

一、萬事に愁へず屈せず

一、過を改むるに憚ること勿れ

一、邪曲輕薄の人と交るべからず

一、大酒は失多し

一、色情は身を失ふ

一、心僻むは嫉妬偏執の深きなり

一、儉約を專とし

一、奢りを愼み

一、人の非を見て我身の行を正すべし

我、愚なる故に壁書して愼とするのみ

それぞれが、自らの倫理を自ら確立し自らの戒めとしている。

このように、日本の武士道というのは、他者からの強制ではなく、主体的であり自律的なものなのだ。だから、武蔵のように仕官先がなくても武士道は厳然と確立されていたし、武士という社会階層がなくなった現代でも俺には俺の武士道がある。

この日本武士道の主体的倫理規範に価値を見出したフランスでは、近代革命による政教分離以来、キリスト教会の倫理規定を教育から排除した結果、社会的モラルハザードが起こった。その対策として「他律ではない倫理規定の在り方として日本武士道を青少年の道徳教育に取り入れている」ということだ。

俺が館長として最後に指導したＩＳＢＡ武道講習会はフランスのカレーで開催された。

この講習会では、主催者の強い希望で、ドーバー海峡での禊行(みそぎぎょう)を執り行うこととなった。欧州各国から１２０名の参加者が、風が強く波の高いドーバー特有の気象の中で海につかり大祓祝詞(おおはらえののりと)を奏上し、日の出とともに三々七拍子でめでたく行を終えた。この禊行を通じて多くの参加者が、日本文化の根源である人間としての一体感、自然との一体感、そして宇宙との一体感を体験した。

２０１１年には、ロシアの武道家たちに声をかけて、同じ趣旨の組織が創設された。ロシアのモスクワを中心に、サンクトペテルブルグからウラジオストクまでに広がる至誠館武道共同体（通称ＣＳＢＤ〔Community Shiseikan Budo Dojo〕）という組織だ。

ロシアにこの団体を創るときには、一つもめごとがあった。

「武道稽古に入る前に神道の祭祀を執り行う」と俺が言うと、「参加者にはロシア正教徒が多いのでやめてほしい」と言う。「俺は、君たちの信仰に関与するつもりはない。ただ、日本武道は神道を起源としているので切り分けることはできない」「祭祀に参加しない者は見ていてもらいたい」と言って神道の祭典を始めた。

祭壇には、武道セミナー会場に植生しているロシアの常緑樹を神籬（ひもろぎ）として奉り、その土地の神（産土（うぶすな）の神）を祀った。また同時に、日本の武の神「鹿島神宮御祭神武甕槌神（タケミカヅチノカミ）」と「明治神宮御祭神明治天皇」を共にお祀りし、参加者全員の真摯なる稽古を神々に奉納し世のため人のために力を尽くす旨祝詞を奏上した。

この様子を見ていた正教徒のロシア人は、全ての神々を祀る日本の神道に感動し、これ以降、彼らが自ら進んで祭壇を作り神道祭祀を主宰するようになった。

ＣＳＢＤ代表のコロニロノフ・ウラヂスラブ氏は、ＣＳＢＤを創設するにあたり次のように言った。「武士道は私に、人間の原点に戻ることを教えてくれます。心と精神と肉体が調和し、正しい判断のもと誠実に道徳的に行動することや、他人の利益のために自己を犠牲にすることを恐れない日本の武士道は、世界に類を見ない崇高な精神です」

ＣＳＢＤの主催する武道講習会も、毎年ロシア国内で場所を変えて開催された。敬虔なロシア正教徒で、極寒の地ウージンスクから参加した消防士は、「武道を学ぶことによって、生きている限り誠実であれということを学んだ。もし、自分のためにだけ生きるとしたら、死後、何も残るものはない。この人生を意味のあるものにするには、他のために生きることである。『この生き方が何の役に立つのか』という問いに対して私の答えは、目に見えない精神レベルで私たちは一つであるからだということだ。人を助けることによって、その一つの存在を癒し、力を与えることに関わっていくということである。

死することは難しいことではない。それよりも、正しく生きることのほうが困難である。誠実であれということは、たとえそれが敵対するものに対してもである。誠実であるということは日本の美徳である。他者のための自己犠牲を日本の武人は体現した。これが真の武道の目的であり意味である」と言う。

モスクワの特殊部隊アルファの隊員は「際立った大任であろうが、日常生活の俗務であろうが、それぞれの課題に全力で、専心に、内面的正しさや真っ直ぐな精神で取り組むことが武道であるということが解った」と言った。

日本人以上に日本の戦闘者の精神をよく理解してくれた海外の同志と巡り合えたことは、本当に有り難かった。彼らとの絆は、俺が至誠館の館長を辞めても続いている。

残念ながらコロナウイルスを使った恐怖による管理社会が世界的に広がってしまったので、しばらくは直接交流できるチャンスを失ったが、彼らとは緊密に連絡を取っている。

昨年（２０２３年）には、ギリシャとチェコから道場を運営する弟子たちが熊野飛鳥むすびの里に稽古に来たし、俺もロシアに武道指導に行ってきた。今年（２０２４年）は、ドイツでの稽古指導の依頼も来ている。

今後、また彼らとの交流は活発化し、志を共に力を合わせてより良い世界創りに邁進することになるだろう。

18 拉致被害者救出作戦

自衛隊を退職した俺は、現職自衛官時代にできなかった北朝鮮による日本人拉致問題に取り組むため、2008年に荒木和博氏等と立ち上げた「予備役ブルーリボンの会」の活動に本格的に関わった。

俺は、現役当時、国際テロ対策会議に参加した折、「日本政府は国際社会に自国民の拉致被害を積極的に公表しているが、自国による救出行動は何故取らないのか」とたびたび質問された。

グリーンベレー留学時も、この話になるとよく言われたのが、「北朝鮮が日本領土から多くの日本人を連れ去ったのはひどい話だということに同意はできるが、それを何度も許し、その事実を知っていながら何もしないことの責任の所在は日本自身にある」ということだった。

北朝鮮の元工作員で脱北して韓国に住んでいた安明進（アンミョンジン）氏と直接話して聞いたところ、北朝鮮の朝鮮労働党中央委員会直属政治学校の工作員教育では、実習科目として日本に潜入して日本人を拉致していたという。

何故ならば、日本は警備がほとんどないに等しいので、とても潜入しやすく、仮に失敗して日本の警察に捕まっても、直ぐに解放して北朝鮮に帰してくれるからだそうだ。つまり、安心して拉致実習ができるということだ。ふざけた話だ。

一般的に、外国からの主権侵害行為、例えば航空機や船舶の領空領海侵犯等に対しては、排除能力を有する国は直ちに実力を行使して排除するが、排除能力を持たない国は、自国の領空領海が侵犯されてもその事実を公表しない。

何故なら、主権を侵害された事実を表明しておきながら対抗措置を行使しないということになれば、それは自国に主権を保全する能力がないか、能力があっても主権を保全する意思がないということを国内外に知らしめることにしかならないからである。

領域主権は絶対主権として国際条約によって規定されているが、それはあくまで、当該国の権利であって、その権利を行使するかどうかは、その国の意思と能力に関わる問題である。

日本の場合、能力がないわけではないが、領土と国民と主権を保全する毅然たる意思がないので、領空領海侵犯を何度でも繰り返される。

拉致問題も同じだ。拉致問題は、かつてイラクで起きた誘拐人質交渉と同様、基本的に当事者間の問題である。

北朝鮮側に拉致問題の解決を強制できる国際システムは存在しない。日本が主権国家として、その権限を行使するかどうかという意思の問題である。しかし、政府の方針は、「北朝鮮に、拉致被害者全員の一刻も早い帰国を働きかける」というものである。自分の意思の問題であるにもかかわらず、相手の意思に期待するというものだ。

北朝鮮のふざけた行為に、何も具体的な手を打たない日本は、与えられた主権保全の権利の遂行を自ら放棄しているのだ。

俺は、拉致問題に長く関わっている荒木和博氏と舎弟の伊藤祐靖にも声をかけ、日本政府に拉致問題解決をお願いするのではなく、国民主導でこの問題の解決を図るべく活動を開始した。

先ずは、独自に関連情報を入手することが必要である。そこで、予備役ブルーリボンの幹事および会員に、北朝鮮関連の地誌、水路図・海図、気候・気象、自然環境・植生・土質、政治、行政、司法、施設、産業、放送・電波、交通、軍事、空港・港湾、エネルギー、医療・衛生、歴史・文化、言語、人物、そして拉致被害者の所在地等々の情報収集担当を割り当てた。また、そのための情報ソースの開拓にも努めた。

情報収集の対象地域は北朝鮮だけではない。日本国内に拉致を遂行し支援している組織や人物が大勢いるので、そちらの情報収集も必要である。

そして、こういう活動を始めると決まって、警察の公安や自衛隊の情報保全隊等がマークするので、そちらへのカウンター情報活動も必要になってくる。

次に、実際に北朝鮮工作員が、どのようにして日本人を日本国土から拉致したのかの手口を研究するため、日本人拉致のシミュレーションを行った。日本領土への上陸潜入から、日本に所在している拉致協力者との連携要領、拉致するターゲットの選定、実際の拉致行動、拉致者の隠匿から北朝鮮への連れ出し、事後処理等々一連の拉致行動について、実際的なシナリオを作った。北朝鮮工作員、日本国内の土台人（日本に潜伏している北朝鮮の工作員あるいは協力者）、拉致被害者など全て実際に行う実員研究だ。

さらには、拉致行動をする北朝鮮グループとその行動に対処する情報および対処作戦グループに分けての対抗作戦シミュレーションも実施し、その成果を記録した。

そして、これらの研究成果を拉致議連の国会議員に説明し、予備役ブルーリボンの会のシンポジウムを開催して一般国民にも情報提供した。

このシミュレーションは、現役時代から取り上げてみたかったものである。日本への特殊潜入自体は、特殊部隊の訓練としてはあまり意味を成さないが、そのようなシミュレーションを政府関係者あるいは政治家に視覚的に伝えることにより、通常の国家としてなすべき対策を促したかったからである。

それ自体が特殊部隊の訓練として意味を成さないというのは、日本に対する潜入・拉致があまりにも簡単すぎるからである。1コ連隊ぐらいががっちりと固める海岸に潜入して、襲撃や破壊工作等直接行動を取るようなシナリオなら訓練になり得るが、完璧に無防備な日本の海岸に上陸潜入する行動は簡単すぎて訓練の対象になる要素が見当たらない。つまり、日本領土での侵入・拉致はそれほど簡単なことなのである。

さらには、国内に極めて多数の協力者が存在し、この者たちが工作員の潜入から拉致・北朝鮮への輸送を担っているのだから、これらが作戦の主体であり、潜入してくるのはお客様みたいなものだ。

日本国内にはスパイと呼ばれる外国への協力者が野放しである以上、不法侵入も拉致もやり放題である。

日本の全ての海岸線を不法侵入から物理的に守ることは困難だが、そうした不法侵入者やそれに対する援助者を殺傷あるいは逮捕する実例を示すだけで、状況は一変する。

つまり、相手にとっては、リスクがゼロである現状が仮に30％のリスクを負うことになるだけでも、常にそのリスクをカウントしなければならなくなることから、拉致実行は相当に慎重にならざるを得ない。

また、そのためには、より高度な訓練や資器材が必要となりコストがかさむことになる。

現在は、侵入・拉致あるいはそれに協力する側にとって、リスクもなければコストもかからない状態だ。失敗しても、全く問題が生ぜず、「次はうまくやろう」といった程度だろう。先ずは、この状態を解消しなくてはならない。

拉致問題解決が多くの国民の支持を得ている今の状況で、これに反対を唱える者は外国勢力の傀儡（かいらい）か協力者であることぐらい誰の目にもわかるだろう。

とりあえずは、誰が外国勢力の傀儡で協力者であるのかを国民の目前に浮き彫りにするためにも、あらためて「拉致問題解決のためのスパイ防止法」あるいは「拉致防止のための領域警備法」等国会で審議するのがいい。

次に実施したのが、自衛隊による拉致被害者救出作戦のシミュレーションである。

政府も国会議員も、はなから自衛隊による拉致被害者の救出などはできないとして、拉致問題解決のオプションから自衛隊の活用は排除している。そして、外交でだめならもう終わり。あとは、ブルーリボンバッジをつけて北朝鮮を批判して、国民には頑張っているふりをするだけの「やるやる詐欺」で終始する。こんなことでは、この問題は一歩も前に進みはしない。

幸い、予備役ブルーリボンの会には、元陸上自衛隊特殊作戦群の俺と元海上自衛隊特別警備隊の伊藤祐靖が揃っているので、人質救出作戦に関してはプロとしての知見がある。軍事的にどうすれば拉致被害者の救出作戦が遂行できるかのシミュレーションはお手のものだ。

陸・海・空自衛隊の持てる能力を活用すれば、拉致被害者の救出は可能であるということをいくつかのパターンでシミュレートした。もちろん、単純に作戦が可能か不可能かだけではなく、仮に作戦が可能としても、これによって生じる政治的なリスクについても分析した。

そして、作戦を実行する場合、作戦部隊指揮官と政策決定者間で、政治的リスクの許容範囲、処置対策の妥当性等について事前に認識を共有するための政軍関係メカニズムの在り方等についても検討し、その成果を国会議員等に提言した。

また、伊藤祐靖が『邦人奪還――自衛隊特殊部隊が動くとき――』（新潮社刊）という本を書いて、そのときに実施したシミュレーションの一部を小説として紹介した。

この自衛隊による拉致被害者救出作戦の内容を、予備役ブルーリボンの会の公開シンポジウムで紹介した際に、拉致被害者のご家族から「うちの家族のために、自衛隊の皆様が犠牲になるようなことがあっては申し訳ない」というお話を伺った。

俺は即座に答えた。「俺らは、そのために存在するプロの集団です。もし、救出作戦で俺らの誰かが死んだとしたら、それは、俺らがプロとして実力不足だったということです。拉致被害者の方やそのご家族が心配する必要はありません。日本人を救出する作戦を遂行できることは、俺たちにとって名誉なことですから」と。

19　憲法を起草する会

２０１０年7月30日、俺は第一回「憲法を起草する会」を開催した。

これは、「百姓侍村」構想とも関わりがあることだった。俺は何度生まれ変わっても日本を守る戦闘者でありたい。俺が守りたい日本は、俺たち日本人の祖先が、長い歴史の中で汗水たらしてつくってくれた日本の文化伝統だ。それがなくなれば日本は日本でなくなってしまう。日本とは、日本文化を体現する日本人の社会のことをいう。

主権、領土、国民などという近代西欧で発明された権利思想は日本とは全く関係ない。むしろ、そうした奴らの権利を正当化するグローバル化思想によって、日本をはじめ世界中の人々が生命も土地も略奪され、奴らの都合のいいように歴史は塗り替えられ、秩序は強制されてきた。

日本は、大東亜戦争に至るまで国民一丸となって英米の主導するグローバリゼーションと戦ってきた。しかも、我が国のみならず、アジア諸国をもグローバリゼーションによる植民地化から救済するためアジア諸国の代表と共に大東亜共同宣言を打ち立てた。これこそが、世界で初めてグローバリゼーションから脱却する思想と世界の在り方を国際社会に宣言したものであった。

諸国家がそれぞれの伝統を尊重し人種差別のない共助共栄を秩序とする国際社会を形成するため、日本人は犠牲を省みず魂を奮い立たせて戦った。そして、現実に東アジア一帯を欧米の植民地化グローバリゼーションから解放した。

しかし、終戦後の7年間に及ぶ米軍占領下に、日本国はグローバリゼーションの側の手先と化してしまった。自分たちが何を守ろうとしていたのか、何と戦っていたのかを完全に忘れてしまい、日本人が命をかけて守ろうとしていたものを日本人自らが破壊することとなる。

戦後日本の経済繁栄とは、グローバリゼーションに身を任せ、そのルールの中で空虚な経済成長を達成することでしかなかった。だから、冷戦間に世界第二位の経済大国になろうとも、世界のルール・メイキングには全く関与できなかった。

そして、冷戦とともに米国にとっての対ソ戦略上の日本の役割は終わり、高度成長期に日本が稼いだマネーは、全部米国とグローバリストにむしり取られる羽目になってしまった。

そもそも米国は、二度とグローバリゼーションに反発できないような弱小国として日本を管理する予定だったわけだから、現状は、冷戦間に日本に稼がせたマネーを回収するための移行期間ということだ。

日本が、グローバル化を進めれば進めるほど、我々の祖先が築き上げてきた有形無形の財産は市場に収奪されていく。日本の貴重な資源が中国人に買い取られていくのは、中国政府の思惑ではなく、市場の要求に従い我が国の政府が市場開放政策を推進することの結果なのである。

にもかかわらず、左翼のみならず保守と称する者たちまでがグローバリゼーションを歓迎し米国の手先となって、市場原理を地方にまで持ち込み、壊滅的な文化破壊が進んでいる。メディアは完全にグローバリストの宣伝機関と化し、日本の歴史伝統文化を否定しグローバル化を賛美している。

同時に、中国、ロシアを敵として意識させ、本当の敵の所在を分からないように偽装している。敵は対立させて管理せよという英国の古典的策略にまんまと乗せられ、敵を誤認し味方を見誤り、敵を利して自ら破滅の道を歩んでいる。

中国が強大な敵になりつつあるのは、中国自らがグローバリズム政策を取り、世界中のグローバリストが中国に利用価値を見出しているからだ。

また、大東亜戦争末期、米・英がロシアに対日参戦を強く要求し、北方4島を含む千島列島をロシアに譲るとの約束で米艦艇145隻を貸与して日本を攻撃させた事実や、シベリア抑留で亡くなった数の倍以上の日本人が米・英・豪によって虐殺された事実は隠ぺいしたままだ。しかも、自分たちが日本兵に対して行った虐待・虐殺行為を、反対に日本兵が英・米兵士に行ったなどと平気で嘘をつくあたりは、現下のロシア―ウクライナ紛争の虚偽報道と完全に同じである。

当然のことではあるが、グローバリストがつくろうとしている世界秩序（グレート・リセット）の中では、日本人が守り続けてきた歴史的伝統文化は守れない。地域文化や慣習というローカル・スタンダードを破壊し尽くさなければグローバル・スタンダードは成立しないからだ。「守るべき日本」とは何かを議論もせず、ロシアの脅威や中国の脅威に対抗するためには米国に頼むしかないと洗脳されてきたが、「守るべき日本」を侵食してきた最大の脅威は米国であり市場であることに気付くべきだ。

日本の伝統文化を失った国籍だけの日本人と、新世界秩序の下に管理される日本に守るべき価値など存在しない。もし、日本を守るとすれば、歴史的伝統文化を守るしかないのだ。

そのため、占領米国人によってつくられた日本国憲法ではない「日本人がつくる日本の秩序」の回復が必要である。

また、グローバリストが進める新世界秩序下に日本を含む世界の国々が置かれようとしている現状から脱却しなければ日本は守れない。

何もしなければ、グレート・リセットによって新世界秩序、すなわち、「国民主権国家を廃絶し、パワーエリートをトップとする地球レベルでの政治・経済・金融・社会政策の統一、究極的には末端の個人レベルでの思想や行動の統制・統御を目的とする管理社会の実現を指す」と宣言している新世界秩序下に日本が管理されることになる。

俺は、このことを20年以上前から察知し、当初は、これと真っ向から戦うことを考えていたが、奴ら自身が慢心し自滅していくことが分かったので、「日本人による日本の秩序」づくりを進めることとした。それが「憲法を起草する会」である。

現在の日本は、自分たちが生きていくための規則は自分でつくるという当たり前のことができていない。「自由だ自由だ」というのは真っ赤な嘘で、自分たちの社会がどうあるべきかについて自由な議論など聞いたこともない。憲法改正と言えば左翼に叩かれる。対米自立と言えば右翼（保守）に叩かれる。国の根幹に関わる議論すらできないのが今の日本だ。

明治の時代、大日本帝国憲法を制定するのに8年をかけ、一般の国民の中から百余件の憲法草案がつくられたのに、現在は、たかだか現憲法の改正案ですら10件に足りない程度で、しかも一般国民の自由な声から出てくる憲法草案などは全く聞かない。つまり、国民が洗脳によって自由な発想ができないような構造になってしまったのだ。

だから、法律の専門家とか政治家とかを集めての会議ではなく、普通のおじさんおばさん、若者から年寄りまでが日本のことを真剣に考える場をつくることが大事だ。

議論の内容も、現憲法の改正とか元の大日本帝国憲法に戻すかではなく、祖先の築き上げたこの国の継承者として、自分の頭で「どんな社会、どんな日本で在りたいか」の答えを持つということだ。

憲法を検討するにあたっての前提を整理すると次のようになる。一つ目は、憲法を検討する目的は何か？　それは、戦後政体を転換した後の伝統的日本再生の秩序づくりだ。戦後体制のまま憲法を改正する動きは米国の要請以外の何ものでもない。

二つ目は、憲法を検討する主体は誰か？　それは、日本の伝統文化集団たる日本人である。有識者とか憲法学者のような日本と生死を共にする当事者意識のない者、グローバリスト、対米従属者、個人の権利を振り回す現憲法の思想に侵された者ではだめだ。

三つ目は、憲法を検討する動機は何か？　それは、歴史的共同体である日本として生きていける社会を確立することだ。単なる現状否定や安全保障上の特定事象への対応、そしてグレート・リセットを標榜する国際標準化を動機とするような憲法改正は、全て日本人としての生き方を不可能にする。

四つ目は、憲法を検討する環境をどのように想定するか？　それは、常に理想とする社会づくりを実践しながらその成果を教訓化していくプロセスが検討の場となる。現状や近代以降の（アングロサクソンが支配する）世界、そして、グレート・リセット以降の世界のような、予め決められた制約下での検討ではいけない。

五つ目は、憲法検討の位置付けは何か？　日本憲法とは、日本人共通の戦略目的の確立である。憲法を検討するということは、日本の戦略立案に直接関わるということになる。日本人全員が憲法をつくる気概を持つことで、一人一人が何をするべきかの指標が見えてくる。

これを踏まえて、憲法検討の論点を整理すると次のようになる。

一つ目は、国家としての自立自治を可能とすること。

二つ目は、日本人としての団結を取り戻すこと。家、郷、国の全てのレベルで心を一つにまとまれる仕組みをつくることだ。

三つ目は、歴史的一貫性を保つこと。歴史との断絶は、国家としての記憶喪失かアルツハイマーのようなもので幼稚化と原始化を生み、グローバリズムの餌食になる。

四つ目は、日本人の信念を顕すこと。合理的である必要はない。

五つ目は、国民の創造主体としての意識の高揚だ。「オッシャアー日本人としてみんなで力を合わせて頑張るぞ！」というような日本人しか成し遂げられない国家形成の意欲を掻き立てるものでなくてはならない。

この「憲法を起草する会」では、現行の法的拘束や法学理論など一切の枠組みを取っ払い日本人としての感性を頼りに毎月1回のペースで議論を進めた。第一回から第一〇回までの第一期は、「国権と民権、立法と行政、司法と法執行、外交と防衛、自治、教育」などテーマ別に自由討議をした。第一一回から第二一回までの第二期は「憲法起草の要点整理」を中心に国内外情勢等についての議論。第二二回から第三九回までの第三期は、実際に「国体法体系、憲法、皇室典範、国民典範、世界へのメッセージ」を作成し、内部審議と公開審議を行った。

第四〇回から第六六回までの第四期は、我々が目指す理想的日本の秩序社会づくりのため「日本的共助社会のモデルの構築」について研究した。第六七回から第九〇回までの第五期は「理念と実践についてのまとめ」と並行して、具体的行動としての日本的共助共同体づくりについて話し合った。

途中、東日本大震災が起こり、被災地での支援活動のために中断はしたものの、あのときの被災地で見た日本人の共助活動は、まさに俺たちが目指す日本としての共助共生の文化慣習が如実に現れた社会の在るべき姿だった。

自然災害は原発事故という人工的大災害を引き起こしたものの、政治の混乱によってまとまりのなかった日本人の心が、一致団結の様相を帯び国民レベルにおいては家族的同胞としての一体感が回復してきたように思われた。

また、災害発生直後から、被災した現地はもとより、国中で日本人の善良なる行為が湧き起こり、あらためて、日本民族が歴史的に築き上げた道徳的社会規範の高さが確認され、「世のため人のために働く」という日本人の美徳が失われていなかったことに、大きな感激と勇気を得たものだった。

当時、米国の大手研究機関ＡＥＩ（American Enterprise Institute）は、「日本の悲劇＝危

機から分岐点へ？」という討論会を開催し、その中で次のような意見が出たことを紹介した。

「日本人がこうした状況下で米国でのように略奪や暴動を起こさず、相互に助け合うことは全世界でも少ない独特の国民性であり、社会の強固さだ」「日本国民が自制や自己犠牲の精神で震災に対応した様子は広い意味での日本文化を痛感させた。日本の文化や伝統も米軍の占領政策などにより、かなり変えられたのではないかと思いがちだったが、文化の核の部分は変わらないのだと思わされた」。そして「近年の日本は若者の引きこもりなど、後ろ向きの傾向が表面に出ていたが、震災への対応で示された団結などは、本来の日本の文化に基づいた新しい目的意識を持つ日本の登場さえ予測される」と論評している。

これは、奴らにとってはこんなはずではなかったというネガティブ評価だが、日本人にとっては日本再建への明るい兆候であった。

いずれにしても、俺は一人でも日本を全うする。できれば仲間と一緒にそれを実現したい。その思いが、約10年続いた「憲法を起草する会」を経て、現在の「熊野飛鳥むすびの里」に繋がっていくことになる。

20 「熊野飛鳥むすびの里」の理念

２０１８年10月、明治神宮御祭神明治天皇に仕え奉り10年の節目、至誠館館長を辞任した。明治神宮の武道場を個人の道場のように勘違いしている連中に嫌気がさしたという面もあるが、何より日本存亡の危機に瀕した現在、俺の人生の総仕上げとして、日本再建の使命を果たすこととした。使命とは、天から授かった命に従い己の生を使い切ることだ。

日本の歴史をふり返ると、多くの困難な時代があったが、特に、足利幕府内の権力争いから世の中が乱れ、武士までが私利私欲にまみれた戦国時代は危機的であった。

この時代の世相を『応仁記』には〈天下は破れば破れよ。世間は滅べば滅びよ。人はともあれ、我が身さえ富貴ならば〉と表現してある。まさに「国家が破綻しようが、日本社会が滅びようがどうでもいい。人を蹴落としてでも自分さえ豊かになればいい」という風潮が蔓延(まんえん)したということだ。

そして、「今だけ、金だけ、自分だけ」の現代の世相は、日本の歴史上、最悪の時代である。こんな時代だからこそ、日本の戦闘者にとっては、なすべき使命が山ほどある生き甲斐のある時代だよ。

このような見苦しい世相が生まれる背景は今も昔も共通している。当時の国の指導者たる将

2019年夏。初百姓で初収穫の野菜

2019年夏。左にいるのが愛犬ひさ

軍足利義満が、明の永楽帝から「日本国王之印」をもらうために、天皇を天皇と呼ぶのをやめて院と呼び、天皇の勅使を引見し下座に座らせる有様であった。現代の日本も、米国のご機嫌取りの総理がオリンピックの開会式で天皇と同列に座る不敬を見ればよく分かるだろ。世俗政府による利権まみれの内政と卑屈な対外政策、これが日本歴史上最悪の時代の共通事項だ。

この足利~戦国時代には天皇の国政への関与を完全に退け、皇位継承に世俗が関与し、伊勢神宮の御遷宮、大嘗祭、大祓等伝統文化行事をことごとく廃止するなど伝統文化破壊が進んだ。案の定、現代も同様に天皇は政治から一切排除されたことで、日本の政治・行政・司法から倫理と道義が喪失し、文化は破壊され、国民の歴史を一貫する建国以来の国家理念が喪われて社会は混乱している。

国防と言えば、武力攻撃事態対処と決めてかかるかもしれないが、武力攻撃によらなくとも消滅した国はいくらでもある。まさに今の日本は、武力攻撃がなくとも消滅しかねない。国の存亡を米軍とドルに100%依存してしまった結果、米国とドルの破綻を目前にして、日本は、自分で自分たちの未来を描くことができない状況だ。

2018年8月8日、天皇陛下(現・上皇陛下)が、ご在位中に渙発した「おことば(詔)」に〈国内のどこにおいても、その地域を愛し、その共同体を地道に支える市井の人々のあることを私に認識させ、私がこの認識をもって、天皇として大切な、国民を思い、国民のために祈るという務めを、人々への深い信頼と敬愛をもってなし得たことは、幸せなことでした。〉とある。

まさにここに、国を守るとはどういうことかということが集約されている。我々日本国民は、自らが生きる土地を愛しその土地の伝統的共同体を地道に支え、自らが日本文化そのものになって生きていくことが大事である。日本文化を体現し得ないものが、いくら国防や経済成長等を言ったところで、そこに日本はない。

日本とは無形の文化集団である。文化集団としての日本人が普通に生きることこそが国防の源である。

先ずやるべきことは、日本建国の理念である「八紘為宇」（一つの家のような国づくり）を目指すこと。それは、上皇陛下の「おことば」通り〈地域を愛し、その共同体を地道に支える〉ことである。

俺は、上皇陛下の詔に従い、すぐにその実践を決断し、三重県熊野市飛鳥町に移住して、日本文化防衛のための活動を開始した。

何故、熊野にしたのかについて一言話しておく。

既に述べた通り、俺は自衛官時代から、百姓侍村の創建を考えて関東一円を見て回った。いい環境、いい場所、いい人たちと多く出会うことができた。しかし、何かが足りなかった。

あらためて、活動を開始する場所を探していると、三重県熊野市飛鳥町に「四季の里」という物件が見つかった。さすがに三重県までは調査域に含めていなかったので、早速持ち主に電話してみた。

物件の持ち主は、吉野熊野新聞代表取締役の谷川氏（故人）であった。電話に出たのは谷川氏の奥様であったが、意外な答えが返ってきた。「お父さんは、売らないと思いますよ」と言う。さてさてどうしたものか。「何故でしょうか？」と質問してみると、「お父さんは、この施設を青少年の健全育成のために建てたので、その思いを引き継いでくれる人でないと売らないんです」との答えだった。「まさに、そのための施設を探しているんです」と答え、とにかく直接お話しすべきと思い熊野に向かった。

東京からは、新幹線を使っても、飛行機を使っても5時間以上かかる場所であった。車で行けば8時間。熊野は、俺にとっては全く初めての地であったが、何故か前にもここに居たような感じを受けた。

吉野熊野新聞社に到着すると、谷川ご夫妻は温かく迎えてくれた。谷川氏は、三重県神社庁の総代長を務め、伊勢神宮の総代も務めていた。また、熊野市の防衛協会会長でもあった。

俺は、元自衛官で現在（当時）明治神宮武道場至誠館の館長をしていること、そして、日本人育成拠点と日本の再建拠点として「四季の里」を使わせていただきたい旨を率直に話した。あっという間に意気投合した。谷川社長が「『四季の里』は任せる」と言い、俺は「任せてください」と返した。

その後、「四季の里」（現在の「熊野飛鳥むすびの里」）に案内された。一瞬で「ここが俺が求めていた地だ」と感じ取った。昔ながらの在所共同体が生きており、土地に神々を感じる場所だ。

数年後、熊野に移住してから、この場所がどういう場所か分かってきた。『日本書紀』に紹介されている伊弉冉命（いざなみのみこと）の御陵である「花の窟（はなのいわや）神社」がある。神武東征における最終上陸地「荒坂の津」がある。そしてそこで、武甕槌神（タケミカヅチノカミ）の剣「韴霊（ふつのみたま）」が地上に降ろされた。神武天皇の金の勾玉（まがたま）の御痕跡がある。南朝皇子絶命の地でもある。国家護持のために生まれてきた俺にとって、来るべきところに来たと確信できた。

早々、この活動拠点を「国際共生創成協会熊野飛鳥むすびの里」と命名した。「国際共生創成協会」という長ったらしい冠は、万物万象共生こそが宇宙の真理であるとする日本伝統文化に基づき、世界をグローバル資本主義（新世界秩序）から救済するための国際的連携を意図している。世界のそれぞれの民族が歴史的に作り上げてきた文化伝統を基に自立し、夫々の国の伝統秩序を相互に敬意をもって尊重し共生できる世界を創ろうということだよ。「熊野飛鳥」

は、その活動エネルギーを秘めた土地の名。「むすび」とは日本神話の「産霊（むすひ）」、すなわち宇宙創元のエネルギーを顕している。

こんなことを言うと、最近の日本人は「カルト集団」かと思うらしいが、自分の国の神話をカルトと一緒にするんだから困ったもんだ。

2014年夏、俺は、スイス・ジュネーブにある世界最大規模の素粒子物理学の研究所である欧州原子核研究機構（CERN）に招待された。少し前にヒッグス粒子の発見等で、CERNのことは俺でも知っていた。そこで、CERN国際部長等職員の人たちと食事も交えて懇談し、最新の素粒子物理学の立場からの宇宙創造の原理について話を聞いた。

「宇宙はビックバンという宇宙の中心からの巨大なエネルギーの放出によって始まった」とする理論を実証的に証明しているという。そして、宇宙は、非物質のエネルギーによって創造されたということや、非物質が物質に転移する交換原理、ブラックホールのようなマイナス・エネルギーの存在等を説明してくれた。そして、説明の終わりに、「日本人ならば今の説明が日本の神話と共通することが理解できるはずだ」と言った。

現代の最新科学である素粒子物理学の宇宙理解は『古事記』の冒頭の宇宙の成り立ちと全く同じだった。初めに宇宙生成の中心エネルギーとして「天之御中主神（あめのみなかぬしのかみ）」が成り顕れた。人知を超えたエネルギーには神の名を冠して尊称するのが日本の作法だ。天の真ん中の神という名前がそのまま、この神の性質を表している。この神は、外から宇宙を創ったのではなく、宇宙そのものとして成ったというところに特徴がある。

そして、「天之御中主神」の中心エネルギーを拡張する所謂ビッグバンのような働きが「高御産巣日神」であり、エネルギーを中心へと集中させる所謂ブラックホールのような働きが「神御産巣日神」だ。『古事記』は、このエネルギーの集中と拡張により、宇宙の成長、すなわち万物万象の生成活動がエネルギッシュに連続的になされていく様を、〈次に成る神は……次に成る神は……〉と表現している。まさに、現代の科学がようやく辿り着いた、ブラック・エネルギーとブラック・マターが宇宙を構成しているという理論と同じ原理だ。

この「次々に生まれ成る神」の延長に、現在の俺たちが生まれ成ったということだ。つまり、最初の三柱の神によって始まった宇宙生成活動は今現在も連綿と続き、人間を含む万物万象が、生成活動を引き継いでいると考えるのが日本民族の宇宙観であり人間観だ。

CERNの関係者たちは、宇宙の生成は、凄まじいエネルギーの凝縮と爆発的拡張によってなされたという日本の神話の考えは、まさに、現代科学の最先端を行く素粒子物理学の理論と共通すると指摘したのだった。

俺たちが、引き継いだ宇宙の生成活動をしっかりと果たすことができれば、子孫にそれを受け渡すことができる。親から子、子から孫へと生成活動を引き継いでいけば、天壌無窮、つまり天地と共に末永く繁栄すると考えるのが、日本民族の自然観であり社会観だ。

現在の社会は、宇宙の原理とは正反対に、個人主義や権利思想、そして最近では、コロナ対策として「新しい生活様式」と称する社会の分断解体を進め、恐怖による「相互不信・対立」「孤立化・非社会化」「情報統制と法的強制」により管理社会を形成しようとしている。

国民一人一人が分断され、グローバリゼーションの最前線に立たされている現状を認識し、そこから離れて日本の伝統文化に根差した共同体をつくる。その共同体を、寝食を共にする仲間たちと育んでいけば、何から何を守るべきかが分かってくる。

時とともに人が変わっても、その共同体が一つの生命体のごとく変わらずに存在し続ける源、それが文化慣習である。この文化慣習が守られていれば共同体は末永く生き続ける。

その延長上に、日本がある。共同体は国家の縮小相似形である。理想とする日本、命をかけても守りたい日本、その日本を責任を持って運営するための秩序を自分たちで考え実践すればよい。

何が起ころうが、歴史的伝統文化に則り、日本人が日本人として普通に生きていけるようにする。一人一人が日本の共同体の一員となり、心を一つにすれば、私たちのかけがえのない日本の伝統文化をグローバリゼーションから守るための具体的対策が生まれてくる。国民が自ら、守りたい国「日本」を実践することこそが、本当の国防にほかならない。

21 「熊野飛鳥むすびの里」始動

「熊野飛鳥むすびの里」は、2018年11月1日に開設した。1日は、仲間の宮大工の棟梁が作ってくれた神棚に天照大神、韴霊大神（ふつのみたまのおおかみ）、祓戸大神（はらえどのおおかみ）をお祀りして韴霊武道場の清祓式（きよはらいしき）を斎行した。3日はこの地の産土（うぶすな）の神をお祀りする飛鳥神社の例大祭に参列し「熊野飛鳥むすびの里」開所を御報告した。そして4日は「熊野飛鳥むすびの里開設記念行事」を開催した。熊野市内外から100名を超える方たちに参集していただき、正式にむすびの里の活動を開始することとなった。

開設時、むすびの里は約3000坪（1万㎡）の敷地に既存の建物が5棟（武道場、食堂、宿泊棟、研修棟、母屋）であった。土地と施設は、20年以上使用していなかったため、裏の山林が家屋に押し迫り、杉や檜が家を包み込んでいた。山と建物の間の側溝は完全に土で埋まり湿気がひどく、鹿、猪、猿の楽園と化していた。

先ずは環境整備、早々駆けつけてくれた自衛隊の元部下の完ちゃんや、仲間の人たちの手を借りて家を修理し、草を刈り、枝葉を切り払っていると、集落の長老たちが手伝いに来てくれた。

花尻茂紀さん、桑原清志さん、榎本正一さん、滝爪清さんら80歳前後の長老たちは生きるための知恵と経験の宝庫、さらに体力も抜群、皆さん俺の人生の師匠だ。裏山の直径50～70㎝クラスの杉や檜をバンバン切り倒していく。60本ほどの木を切り倒した頃には、見違えるように明るくなり、人の住むエリアと山の神々の境目が明確になった。

地面も掘り起こすと、次から次に側溝が現れてきた。一番苦労したのは裏山と宿泊棟の境目の側溝だ。竹の根がぎっしりと側溝の中を占有し、コンクリートと一体化していた。1m進むのに半日を要した。ついでに埋没していた池の泥を汲み出した。そこに川の水を引き込み、水路や田んぼに迷い込んできた魚を放してやった。毎日の肉体労働で身体がガクガクになりながら、自然の力に畏怖の念を抱き、この土地の生命の一つになる喜びを感じた。

杉や檜を手際良く切り倒して、材木にしていった

環境整備があらかたできると、生きるための食い物の生産基盤づくりに取りか

かった。最初は、猪がミミズを食べるために地面を耕耘したかのように掘り起こされていた草地に畑を作ることにした。

最初の正月には、家族型仲間（むすびの里で食住を共にする家族のような仲間）第一号の大石君が加わってくれて、仕事が進んだ。

畑作りを鍬で試してみたが石だらけで全く歯が立たない。しょうがないので、ユンボを借りて畑作りを始めた。熊野は巨石が多い。地面を掘り起こすと俺の身体より大きい石がザクザク出てくる。ユンボ様々の大活躍で、ようやく200㎡の畑を作ってみたが、巨石を取り除くとあちらこちらが大きな窪みとなった。集落の人からは、「プールでも作るんかい」と冷やかされた。これでは畝を立ち上げるどころではない。集落の長老の意見を聞いて牛糞を2tトラックで4杯分放り込んだ。立派な畑ができた。しかし、元々猪や鹿のたまり場だった場所、柵を作らねばならない。山から切り出した木を鉈で削り、柵の支柱を作り、破棄した害獣ネットをもらって修理して畑を覆った。さらに、武道教室門人のご家族からいただいたアイヌ犬と琉球犬の子「ひさ」が加わり、番犬として害獣対策に活躍してくれた。

努力の甲斐あって、堆肥満杯の畑からは美味しい野菜が大量に収穫できた。翌年、畑をさらに800㎡に広げた。現在は1反分（1000㎡）に広がり、客人や隣人に食べてもらえる十分な量の野菜が穫れるようになった。

木を切り倒した山裾は茶畑にした。森との接際部には養蜂箱を置いたが、毎年熊に横取りされて人の口にはなかなか入らない。切り倒した栗の木は椎茸の菌を打ち込んで原木とした。杉や檜は、製材してテーブルや椅子、建物の修理材、薪ストーブの燃料となった。

初年度は、田んぼ1反分を借りて、初百姓仕事にも取り組んだ。長老から機械を借りての見様見真似の稲作だ。翌年からは年を追うごとに集落の耕作を放棄した田んぼを引き受けていったので、2年目は7反分、3年目は1町歩（1万㎡）、5年目には1町3反分に広がり、いっぱしの百姓になった。長老たちは猟をやるので、猪と鹿の肉はたらふくいただける。これで食料は充分。生きていける。

施設の修理は、先ず道場の床を張り替え、畳を敷いて稽古できるように整えた。敷地の祠には伊弉冉の神をお祀りし、裏山のキハダが生えている巨石は山の神の磐座としてお祀りした。母屋には祖霊社を設け、先祖代々の御霊をお祀りした。

客人が泊まる宿泊棟の畳と襖は張り替えた。裏山で切り倒した木を削って磨いて食堂の60人分のテーブルを作った。テーブルの脚は、むすびの里の横を流れる大又川の増水で流れてきた杉の倒木を使った。

研修棟は、俺の蔵書を置く図書室とするため珪藻土を塗って湿気対策をした。珪藻土の除湿効果は抜群であった。また、知人から檜風呂と杉風呂をいただいたので露天風呂を作った。そ

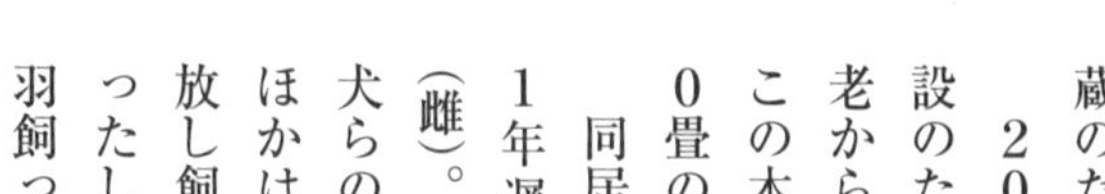

本郷集落での大役梼屋（とうや）を務める。韴霊（ふつのみたま）武道場の神棚の前に記念写真

の後、檜サウナも増設した。さらに、作業場が必要となり小屋を作った。後に米の乾燥・精米・貯蔵のための米蔵を増設した。

２０２１年から２０２２年にかけては、道場増設のため、隣接する森林約４０００㎡を集落の長老から買い取り、杉と檜２００本を切り出した。この木を乾燥させ製材にして道場を増設し、１３０畳の武道場となった。

同居する生き物は犬と鶏。犬はひさ（雄）から1年遅れでうちに来た真っ白な紀州犬のしろ（雌）。半年おきに子犬を3回15匹産んだ。その子犬らのうち、雄のひと1匹だけ番犬として残し、ほかは全て里子に出した。最初に飼った鶏5羽は、放し飼いをしていたら鎖をぶっちぎって襲いかかったしろに全羽瞬殺されちまった。その後また4羽飼ったが、また1羽、今度はひさに殺られた。

その後は、畑に隣接した鶏舎を作り、畑の柵の中だけに放し飼いにするようにした。しばらくは、5羽の鶏（アローカナ）がよく卵を産んでくれてたのだが、今度はテンに小屋を襲われ、またまた全滅した。その後、いただいた鶏7羽が元気にしている。

開設当初から、施設整備を手伝ってくれたのは特戦群時代の部下完ちゃんで、開設翌年からは家族型仲間の大石君が、毎日一緒に仕事をしてくれた。しかし、コロナ禍に大石君は奥さんの手伝いで東京に戻った。入れ替えで、仲間の井口さんと家内が引っ越してきた。井口さんは、お母さんの世話をしに東京に戻るまで約3年間、一緒にむすびの里の仕事に力を尽くしてくれた。

そのほかにも、志を共にする仲間は延べ600人になるが、彼らが時間を見つけてはわざわざ熊野まで手伝いに来てくれるので、田畑はもとより広大な敷地の管理や活動は順調に進展してきた。仲間以外にも、年間1000名以上がむすびの里を訪れてくれる。本当に有り難いことだ。

「熊野飛鳥むすびの里」の活動は、大きく三つの柱からなる。「農」「武」「学」である。この三つは、国家存立の要素でもある。「農」は自立自治の道。「武」は自主防衛の道。そして「学」は伝統文化継承の道である。

日本は、遺跡として確認できる世界最古（青森県大平山元(おおだいらやまもと)遺跡から出土した約1万6500

年前の土器）の定住共同体文化発祥の地であるが、この時代（教科書的に言えば縄文時代、日本神話では国造りの時代）の定住型社会を支えたのは、自然と共生しながら、先祖代々1000年以上も同じ所に住み続ける縦型家族（親子が同居し家を引き継いでいく家族形態）の生活様式を確立したことである。猟や略奪・強盗で暮らす獣のような個人生活や核家族生活からいち早く抜け出たのが日本民族である。

そして、約2700年前の神武天皇東征以降は稲作を中心とする「農」が普及した。定住型「農」生活は、父系家長制縦家族と農村共同体をさらに安定的に持続させることを可能にした。

この安定し持続可能な父系家長制縦家族と農村共同体が日本文化の礎となり、これを相似的に拡大した「天皇を家長とする国家観」が生まれ、「八紘為宇」を理想とした社会規範と国家目標が定着した。すなわち「農」生活を営む家長制縦家族と農村共同体が日本の原点である。これを失うと日本は日本でなくなる。

この「農」の在り方は、生きるための「農」であり、ビジネス農業ではない。生きるために食を確保する農生活をマネーに換算する必要はない。集団で自立した「農」生活基盤を築き、はたを織って、家を建てれば、衣食住の自立自治が可能となる。万物生成の創造的自然の中の人間として、額に汗して自らの運命を切り開く主体的創造者になるわけだ。

同時に、このような「農」は常に自然と共にあることから自然畏怖と、田や水路など一ヶ所で1000年以上定住できる基盤を開拓し整えてくれた祖先への感謝の心を養う。いわゆる自然と祖先を神として崇め感謝する日本文化「神ながらの道（神と共にある生き方）」の実践の場となる。

また、家族的自営農民が生計の一本立ちを達成し、社会の中核的生産者としての自負と責任を自覚できれば、家族型集団「農」自体が共同生活の日々の中で共助・共生・共栄の社会規範を修養し、自己啓発の「学び」の場になる。家と郷が子供の教育現場となれば、啓蒙（洗脳）教育を専らとする学校教育は不要になる。

しかし戦後は、アングロサクソンの伝統的家族形態である「絶対核家族」制を取り入れることで、日本の文化の生成母体の三世代が共に暮らす「大きな家」が壊滅状態に追い込まれた。同じく「個人主義」は、人と人の関わりを大事にする伝統文化社会を破壊し、「自由主義」は和を保つための倫理・道徳・文化慣習を消滅させた。こうした日本の文化・道徳を革命的に破壊するため、学校教育と称して子供を家庭や共同体から強制的に引き離し、啓蒙教育を義務化して、異なる民族の価値観を強要してきたのだ。

啓蒙教育というのは、価値観を強要する教育手法である。決まった答えしか正解と認めず、自由な思考をテストや試験を使って潰していく。これは、日本の伝統的社会価値観を破壊するための謀略工作である。これに対して、日本型の啓発教育は、個々の能力を育むことを主眼に、

野良仕事の合間で一息つく筆者

家庭や社会生活の中で体験的に学習し習得できるような仕組みだ。

だから、日本人が日本人として正しく生きるためには、教育母体としての大家族と共同体を取り戻し、日常の家庭生活や地域社会での生活が教育になるようにしなくてはならない。

しかし、そのような家庭と地域環境は破壊されてしまったので、あらためて伝統的家庭と地域社会を再構築する必要がある。失われた日本人としての記憶を取り戻す歴史・伝統・文化の「学」が重要となる理由はここにある。

本来は、生きた学問である「人から直接学ぶ」べきだが、その基盤ができるまでは、死んだ学問であっても「文章で学ぶ」ことも必要だ。むすびの里では、そのための学習会を定例の勉強会や講習会として開催している。

さて、このような日本の共助・共生・共栄文化は、行き過ぎたグローバル資本主義（自由競争）によって荒廃した日本と世界を救う有効な手段であるが、新世界秩序とは考え方が相反するわけだから、当然のこととしてパワーエリートに管理されたメディアによる誹謗中傷や公権力による排除が予想される。事実、開設3年目には、共同通信やテレビ朝日、ロイターなどのグローバル・メディアに攻撃された。これに対して、正義を貫き通すためには、強い心とタフな身体を養う必要がある。

それが「武」である。「武」とは物質的戦闘力のことだけではない。それは、俺たちの先祖が1万年以上かけてつくりあげてきた「大和魂」だ。「大和魂」とは、優しい日本の「和」の文化を守る荒々しい精神のことだ。何度でも生まれ代わり、日本を守って守って守り貫く荒魂のことだ。俺がいれば日本は大丈夫だと信じ

食の自立は自治の基本

る大丈夫の気概のことだ。それを育むために「荒谷流武道」を立ち上げた。

この「農」「学」「武」を柱として活動することで、日本人を育成し、日本再建の母体となる共同体をつくる。それが熊野飛鳥むすびの里の使命だよ。

22 日本のほんとうの敵

ここでしばらく、俺の身の上話に付き合ってもらったが、ここんところ国際情勢がかなりきな臭くなってきたので、世界がどのようになっているのかについて話をするよ。

今は百姓おやじをやっているが、こう見えても俺は、防衛庁（防衛省）では国際情勢分析の専門家だったんだよ。それも、現状だけではなく情勢の長期的推移を見積もる仕事の担当だ。

そもそも日本の戦闘者は情勢分析に長けているんだ。何故かというと、日本文化の特徴の「思いやり」は、「人の心を読む」心術が得意だ。

これは欧米の文化にはない特徴だ。自分本位の連中には、人の心に対する配慮がないので、科学的心理学のような理論に頼るしかない。

ところが日本人は文化感性で相手の気持ちに気を使う癖があるから、そんなものに頼らなくても自動的に心を読む。だから、戦前までの日本軍人の世界情勢感覚は今とは比べものにならないほど優れていた。

日本も戦前までは国家としても自立していたから、独自に海外情報を収集し分析していた。戦後、日本占領在日米軍が〝焚書〟（印刷、流通、販売、所持、購読を厳重に禁止した書物等）と指定した国際情勢に関する本を見てみたらいい。

例としては、『大東亜戦争調査会研究報告書全5巻〔『米英挑戦の眞相』『米英の東亜攪乱』『米英の東亜制覇政策』『米國の世界侵略』『米英の東亜制覇政策』『米英の東亜攪乱』『大東亜の建設』〕』（大東亜戦争調査会編）や『石油争奪世界戦』（原圭二著）等が挙げられる。これらは復刻版も出ている――『大東亜戦争調査会研究報告書全5巻』は呉PASS出版刊、『石油争奪世界戦』は経営科学出版刊――ので是非読んでもらいたい。

これらの本には、英米が推し進めるグローバリズムの歴史や実態がとても正確に分析されているよ。今の日本では及びもつかないくらいの聡明な国際情勢の見方だ。そして、それが正しかったということは、現状を確認すればよく解る。

ところが、戦後は米国から、海外情報を収集する政府機能の保有を禁止され、国際情勢判断は米国から与えられた情報に頼るようになってしまった。メディアも米国が検閲していたものが、そのまま内部規定化し、米国の意図に沿った偏向報道しか流さなくなった。戦後は、こうして米国による情報の管理体制が確立したわけだ。

だから、テレビ等で国際情勢を語る連中の話は、頭が馬鹿になるから聞かないほうがいい。さらに、コロナ以降は、ほとんどまともな報道がなされなくなってしまった。これは報道ではなく明らかに洗脳活動だ。そして今、全部嘘なのはコロナだけではなくウクライナ関連報道も同じだ。これは、日本国家の存続に関わることだから見逃すわけにはいかないよ。

先ず、情勢分析をする際には、思い込みや先入観を排除しなくてはならない。これがあると、客観的な分析ができなくなる。「日米同盟ありき」や「グローバル化の中での経済成長」を前提として情勢判断をしていたのでは、戦略的思考は生まれないし、戦略の間違いは戦術ではリカバーできない。

現在、国際環境に大きな変化をもたらすキーパーソンは、ロシアのプーチン大統領だよ。冷戦終了以降の世界のトレンドであった新世界秩序つまり「国民主権国家を廃絶しパワーエリートをトップとする地球レベルでの政治・経済・金融・社会政策の統一、究極的には末端の個人レベルでの思想や行動の統制・統御を目的とする管理社会の実現を指すもの」に終止符を打ち、「主権国家からなる多様な世界の構築」を目指すプーチンの動向を正確に読み解けないとこれからの世界情勢は見えてこない。

ところが、戦後の日本人のソ連・ロシアに対する敵対意識は、米軍占領以降、徹底的に刷り込まれた感がある。ソ連は大東亜戦争末期、突然、日ソ中立条約を破棄し対日宣戦布告をして満洲から日本を追い出し、1945年8月15日以降も占守島から北方領土までを不当に占領した憎き敵国。さらに日本人捕虜のシベリア抑留やら、北方4島を返還しないやらで、ソ連（ロシア）は極悪非道の国とされてきた。

自衛隊では、仮想敵国ソ連の侵攻から日本を防衛するのが主たる任務とされていた。こうした感情を持ったまま、国際情勢を見ていると取り返しのつかない過ちを犯すことになる。

では、歴史をさかのぼって事実関係を確認してみよう。先ず、大東亜戦争のロシア参戦について。１９４１年12月８日、日本が真珠湾奇襲攻撃をしたその日、予め準備していたように米国はソ連に対し対日参戦要請をしている。スターリンはこれを却下した。それ以降も米国のソ連に対する対日参戦要求は執拗に続き、１９４５年２月８日、クリミアのヤルタで米国ルーズベルト、英国チャーチル、ソ連スターリンが三者会談を開催し、約束を交わした。

その内容は、「ドイツ降伏から2~3ヶ月後、ソ連は対日参戦する」「樺太および千島列島はソ連に割譲する」というものだった。

ルーズベルトは、ソ連の対日参戦を引き出すため、スターリンに対し対日中立条約の破棄を求め、終戦までに軍事占領した全ての領域をソ連に無条件で提供するとした。スターリンは米英の要請に従い、ドイツ降伏の３ヶ月後の８月、対日参戦を布告する。

しかし、当時のソ連には千島列島を攻撃するための海上輸送力能力がなかった。そこで、米国はソ連に「プロジェクト・フラ」と呼ばれる米ソ合同軍事作戦を提案し、１９４５年５月から９月、掃海艇55隻、上陸用舟艇30隻、護衛艦28隻等１４５隻の艦船をソ連軍に無償貸与した。４月から８月にはソ連兵約１万２０００名を米国アラスカ州コールドベイの基地に集め、艦船やレーダーの習熟訓練を行った。つまり、９月２日の降伏文書調印まで、米ソ合同作戦で北方

4島を含む千島列島の軍事占領を果たし、約束通りソ連の領土としたわけだ。

終戦後の極東軍事裁判においては、A級戦犯の死刑判決で11人の裁判官のうち死刑に反対をしたのは3人だけ。インドのパール判事、ソ連のザリヤノフ判事、そして裁判長のウェッブだった。

オーストラリアのウェッブ裁判長は白豪主義、いわゆる人種差別主義者で、天皇の追訴をはじめ、日本人への報復に最も強烈な意見を持っていたが、ニュールンベルク裁判においても判事をしていたことから、ナチスドイツの行った犯罪行為と比較し、A級戦犯とされる日本人の被告の行為はどう見ても死刑に該当しないとの判断から反対したものだ。

日本の戦争犯罪に対し、インドのパール判事が反対したことはよく知られているが、ソ連のザリヤノフ判事も反対したことはほとんど知られていない。これは、意図的に隠している。

また、外国での裁判において戦犯として死刑判決を受けた日本人および捕虜収容中に死亡した日本人の数は、シベリア抑留中の自然死も含めたソ連では、日本政府発表で5万5000名。これに対して、アングロサクソンの米英豪での日本兵死者数は日本政府発表で5万名、これに米英豪の資料を含めるとプラス8万1000名の死亡が確認されている。

例えば、大西洋横断飛行で有名なリンドバーグの戦場日誌によれば〈各地の太平洋戦線で日本人捕虜の数が欧州戦線に比し異常に少ないのは捕虜にしたければいくらでも捕虜にできるが、米兵が日本人捕虜を取りたがらず、手を上げて投降してきても皆殺しにするから〉〈一旦捕虜にしても英語が分かる者は尋問のため連行され、できない者は捕虜にされなかった、すなわち殺された〉〈捕虜を飛行機で運ぶ途中機上から山中に突き落とし、ジャップは途中でハラキリをやっちまったと報告した〉〈ある日本軍の野戦病院を米軍のある部隊が通過したら生存者は一人もいなかった〉〈2年以上実戦に参加した経験がない兵が帰国前にせめて一人くらい日本兵を殺したいと希望し、偵察任務に誘われたが撃つべき日本兵を見つけられず捕虜一人だけ得た。捕虜は殺せないと嫌がるくだんの兵の面前で軍曹がナイフで首を切り裂く手本を示した〉〈捕虜にしたがらない理由は殺す楽しみもさることながらお土産を取る目的。金歯、軍刀はもとより、大腿骨を持ち帰りそれでペン・ホルダーとかペーパーナイフを造る、耳や鼻を切り取り面白半分に見せびらかすか乾燥させて持ち帰る、中には頭蓋骨まで持ち帰る者もいる〉等々、戦場での実態を生々しく描いている。

そして、〈日本人を動物以下に取り扱い、それが大目に見られている。我々は文明のために戦っているのだと主張しているが、太平洋戦線を見れば見るほど、文明人を主張せねばならない理由がなくなるように思える。事実この点に関する成績が日本人のそれより遙かに高いという確信は持てないのだ〉とし、ドイツ降伏後ナチスによる集団虐殺現場を見学したときの日記では〈どこかで見たような感じ、そう南太平洋だ。爆撃後の穴に日本兵の遺体が腐りかけ、その上から残飯が投げ捨てられ、待機室やテントにまだ生々しい日本兵の頭蓋骨が飾り付けられているのを見たときだ。ドイツはユダヤ人の扱いで人間性を汚したと主張する我々米国人が、日本人の扱い方で同じようなことをしでかしたのだ〉と記述している。

こんな米兵でさえ、「豪州人よりはましだ」と言っている。大東亜戦争中、豪州のニューサウスウェールズ州カウラの日本人捕虜収容所で起きた事件では、歴史上最多最悪の231名の日本人捕虜が一挙に殺害された。

国際赤十字はこの事件を検証し、戦後の日本政府に対し、これは歴史上に残るホロコーストであるから提訴するように申し出た経緯がある。

ところが日本政府は、提訴するどころか、この事件を完全に無視している。

俺は、ロシアの日本人捕虜収容所を直接見に行った。そこでは、日本人捕虜は礼儀が正しいからということで、出入り自由で、その村の家に食事に招かれたり、村の娘さんと結婚したりしていたという。そして亡くなった日本兵の墓はいまだにきれいに地元の人たちが守っていた。英米豪の連中が、戦後、日本兵の墓を掘り起こして遺骨を放り投げブルドーザーで潰したのとは全く違う。

プーチン大統領が最初に日本に来たとき、外務省の予定をキャンセルしてまでも、講道館へ行きたいと言った当時のことを、講道館関係者に聞いたんだが、外務省の職員が来て、国賓のプーチン大統領が講道館へ行きたい言うから、赤の絨毯を敷くように要請したらしい。しかし、講道館としては神聖な道場に絨毯を敷いたからといって、土足で道場に上がってもらっては困ると言ったが、外務省は国際慣例として国賓に靴を脱げと言うことはできない、講道館は目をつむってもらうしかない、と言って押し問答があったという。

講道館のほうはやむなくレッドカーペットを敷いて土足で上がってもらい演武等を見てもらう準備をしていたらしいよ。

そうしたら、実際にプーチンがやってきたら、靴を脱ぐどころか靴下まで脱いで、しかもカーペットを外して、自分の生涯の師と仰ぐ加納治五郎先生に深々とあいさつしたそうだ。

そして、講道館が準備していた名誉段を渡そうとしたら、「いや、自分はそういう段位をもらうのにふさわしい人格も技量もない」と。でも、困った様子の講道館の人々に配慮し、プーチンは「分かりました。これは加納治五郎先生が自分に対して人生の課題を与えたものだと理解し、段位にかなう人間になるよう精進いたします」と言ったという。

こんな欧米の大統領なんか見たことねえよ。

英米にとっては、日本がロシアや中国と組むと手に負えなくなるから、絶対に手を組ませない。いわゆる「敵は対立させて管理する」というアングロサクソンの戦略にまんまとはめられているのが今の日本だよ。

23　ロシア―ウクライナ紛争の真実

今般のウクライナ情勢は、かつて日本がはめられたのと同じやり方でロシアを戦争に引きずり込もうという英米の策略だ。

そもそも、冷戦終結に際し「もし米国がＮＡＴＯの枠内で統一ドイツに駐留できるのなら、1㎝たりともＮＡＴＯの軍事的管轄が東に拡張することはない」と当時のベーカー国務長官がゴルバチョフ大統領に約束して、ソ連解体を迎えることになった。

ところが実際には、ソ連解体以降、1999年に3ヶ国（ポーランド・チェコ・ハンガリー）、2004年に7ヶ国（スロバキア・ルーマニア・ブルガリア・バルト3国やスロベニア）、2009年に2ヶ国（アルバニア・クロアチア）、2017年モンテネグロ、2020年に北マケドニアもＮＡＴＯに加わり、米国のミサイル防衛網（ＭＤ）システムや通信施設等をこれらＮＡＴＯ加盟国に配備した。

さらに2003年、バラ革命によりグルジア政府転覆、反ロシア政権樹立。2004年、オレンジ革命によりウクライナ政府転覆、2005年、チューリップ革命によりキルギス政府転覆――これらカラー革命と呼ばれる東欧の政体転覆やアラブの春による政府転覆は、新世界秩序を強要するための英米による特殊作戦だ。そして、2014年のウクライナ「ユーロマイダン革命」は、完全なる米国グローバリスト主導の革命だった。

元米国務次官ポール・クレイグ・ロバーツ博士は次のように言っている。「西ウクライナの抗議行動は、米国政府とＥＵから資金を得ている非政府組織（ＮＧＯ）によって組織されている。米国政府にとって、狙いはウクライナで、米国の銀行と大企業による掠奪ができるようにし、米国政府がロシア国境にさらに多くの軍事基地を得られるようウクライナをＮＡＴＯに引き込むことだ。

ウクライナで〝危機〟をでっちあげるネオコン国務次官補のビクトリア・ヌーランドは２０１３年12月13日、ワシントンの記者クラブでウクライナでの扇動に米国は50億ドル〝投資した〟と語った。米国やＥＵから資金提供を受けているＮＧＯは人権擁護団体を装う。だまされた抗議行動参加者は、ＥＵ加盟がウクライナ独立の終焉であり、それがブリュッセルのＥＵ官僚やヨーロッパ中央銀行、米国大企業に支配されることを意味するのが解らないのだ」と。

そりゃそうだ。１９９７年に日本でも出版された『ブレジンスキーの世界はこう動く（The Grand Chessboard）』（山岡洋一訳　日本経済新聞出版刊）の著者　ズビグネフ・カジミエシュ・ブレジンスキー元国家安全保障問題担当米大統領補佐官は、ロシアとの約束など無視して「民主主義の橋頭堡であるＮＡＴＯは、拡大する必要がある。ポーランドからウクライナまで、そして既にかなり後退したロシアの国境線まで拡大するべきである」「石油に基づく資源は、特にロシアと中国に渡さないために、英国と米国の充分な管理の下に置く必要がある」「米国の二つの国益は、短期的には世界唯一の覇権国としての立場を維持すること、長期的には世界覇権を国際協調体制の枠組みに変えていくことだ。このため、属国に対し他の属国と共謀する体制を防ぎ安全保障面で帝国に依存する状態を維持すること、進貢国に対しては従順で帝国の保護を受ける状態を維持すること、反抗国に対しては統一と団結を防ぐことが極めて重要である」と言っているのだからな。ちなみに、ブレジンスキーが言っている「進貢国（自ら進んで貢物をする国）」っていうのが日本だ。

米国のグローバリストにつくりあげられたウクライナ大統領ゼレンスキーの使命は、ロシアを戦争に引きずり込むことだ。そのために、ゼレンスキーは、殺人罪で収監されていたネオナチのアンドレイ・ビレツキーを恩赦釈放、民兵集団「アゾフ大隊」を組織し、ドネツク州およびルガンスク州においてロシア人の襲撃・殺害を繰り返した。ビレツキーは2014年に国会議員の席も獲得していて、資金源はウクライナ政府のほか、国内外のオリガルヒ（グローバリスト）とされる。

国連の人権高等弁務官事務所（OHCHR）の2016年2~5月の報告書では、以下のように記している。〈2014年4月中旬から2016年5月15日まで、OHCHRは、ウクライナ軍、民間人、および武装グループのメンバーの間で、ウクライナ東部の紛争地域で3万9

03名の死傷者を記録した（うち9371名が死亡、2万1532名が負傷）。ウクライナ当局によって拘留された何百名もの武装反乱グループと民間人は、拷問・虐待されており、適正な手続きと公正な裁判の権利の侵害に直面し続けている。（中略）ウクライナ当局は、紛争下に生きる人々の基本的自由と社会的経済的権利へのアクセスを排除、制限する政策を採用することにより、頻繁に非差別の原則に反している。ウクライナ政府は紛争地帯に対し人権の保障や、多くの国際条約遵守の義務を放棄している。〉

これらを受けて2018年、米国議会はアゾフ大隊をネオナチ系機関と認定、軍事支援を禁じたが、他方で支援継続が議会において承認されていた。

2019年には40人の米国国会議員が、米国国務省にアゾフを外国のテロ組織に指定するよう求めたが、受理されなかったことがあった。

日本公安調査庁は〈ウクライナの極右ネオナチ組織「アゾフ大隊」に2000名の欧米出身者が参加〉と報告している（『国際テロリズム要覧2021』）。しかし、今回のウクライナ問題が生じた途端、日米とも、これらの公式記録を全部破棄した。

そして、かねてより、プーチン大統領が「ウクライナにNATO兵力を配置するのはレッド・ラインを越えることになる」と警告していたのにもかかわらず、2021年3月以降、NATO加盟国の軍艦がオデッサに入港、米軍はウクライナと大規模な合同演習を行いロシアを挑発。10月、米軍はウクライナ国内に180基のミサイルを配備した。

10月末、ロシアはウクライナ国境付近に部隊を移動させ、プーチンはあらためてNATOに「レッド・ラインを越えるな」と警告した。

12月にはバイデン大統領が300名の軍事顧問団（第82空挺師団）を派遣し、ウクライナ軍の訓練を開始した。ウクライナのゼレンスキー大統領は、外国人部隊の国内駐留を認め、市民権まで与えるとし、議会にも承認させた。

2022年1月、ネオナチ部隊「アゾフ大隊」を含むウクライナ軍15万名がドンバス（ドネツク州とルガンスク州）に集結。この頃までのドンバス独立派側の死者は3万名に及ぶ。ウクライナ人による在ウクライナ・ロシア人に対するホロコーストが起こった。

1月16〜17日にブリュッセルで開催されたNATOの国防相理事会では、「ウクライナが自己防衛能力を引き上げるのを支援する」として武器や資金供与を通じてウクライナを支える姿勢を強調し、地理的にロシアと近い国々の防衛強化を進める方針を打ち出した。

その直後19日には、ゼレンスキー大統領がブダペスト覚書（1994年12月、米英露が署名した安全保障に関する覚書。核放棄を決め、核拡散防止条約〔NPT〕に加盟したウクライナ、ベラルーシ、カザフスタンの主権と国境について、米英露が尊重し、脅威となることや武力行使を控えることなどを定めた。NPTで核保有が認められた残る中国、フランスは覚書に署名しなかったが、声明でウクライナの主権や領土の一体性の尊重を約束した）に言及したが、それは「ウクライナの核武装の意図」と取られるような発言であった。そしてウクライナ軍がドンバスに向けて数百発の砲撃を開始した。

このようなＮＡＴＯの長年に亘る挑発に耐えてきたプーチン大統領だが、今回は決断をした。ロシアは2月21日、ドンバスの独立宣言を承認、友好国として待遇した。

2月24日、プーチン大統領はテレビ演説で、ドンバス共和国の首脳からの要請に応えて「ウクライナ政権による8年間の大量虐殺に苦しんでいる人々を保護するために、特別な軍事作戦を実施することを決定した」と述べた。同時に「モスクワにはウクライナの領土を占領する計画はない」とも強調した。

プーチン大統領は、今回の軍事作戦の目的について、「キエフ政権によって行われた屈辱と大量虐殺に8年間直面している人々を保護すること。この目的のために、私たちはウクライナの非軍事化と非ナチ化を目指し、ロシア連邦市民を含む民間人に対して多数の血なまぐさい罪を犯した人々を裁判にかける」ことだと述べている。そして、ロシア軍は、作戦開始当初より順調に作戦を進めた。

プーチン大統領は、当初から全面戦争は避け、ルハンスク、ドネツク、南部ザポリッジャ、ヘルソンの4州と既にウクライナからロシアに編入したクリミア、このエリアだけをウクライナから解放するという作戦をやっていたわけだが、作戦開始から4ヶ月でその軍事作戦はほぼ完了して、2022年6月には、国際戦争法規違反の外国人民兵等に対する戦争裁判も終わり、国民投票でこれらの地域がロシアに編入された。これで作戦が完全に終了したわけだ。

それ以降は、ロシアにしてみれば、新しい国境地帯に無駄に攻撃してくるウクライナ軍に対し、国境線の防衛警備をしているということだ。

日本のメディアが言ってるように、ウクライナ軍が反撃して押してるという状況は一切ない。ロシア軍は目的の4州解放のため、軍事的には範囲を広げて前へ出て、最終的には作戦を終了したので後退しただけだ。

政治経済の面では、今回米国がロシアに経済制裁したことによって、米国よりもロシアの経済のほうが強くなった。つまり、プーチンのほうが賢いということだ。

プーチンは、直ぐに金とルーブルをペグして金本位制を確立。さらにサウジやOPEC（石油輸出国機構）加盟国に打診してOPECプラスという枠組みを機能させた。これによって、ドルが基軸通貨として実権を握っていたペトロダラー・システムを壊したわけだ。

今はドルじゃなくても、中国元でもルーブルでも、ほかの通貨でオイルが買えるようになり、ドルを持ってる意味がほとんどなくなってしまった。ニクソンショック以来、金本位制を取ってないドルは何の兌換性（だかんせい）もなく紙切れになる可能性がある。

だから、為替相場を見たら一目瞭然だが、戦争前1ドル＝85ルーブルだった相場が、ロシアが金本位制を打ち出した途端、65ルーブルまでルーブルが逆転して、それ以降は、ルーブルの価値は圧倒的に強くなったままだ。ということは、国際社会は、ルーブル（ロシア）のほうがドル（米国）より強いと見ているということだ。

そもそも、米国が世界唯一の大国と称しているのは、二つの理由がある。一つは基軸通貨ドルによるペトロダラー・システム。もう一つは、圧倒的軍事力による国際安全保障への関与だ。

一つ目のペトロダラー・システムについて簡単に説明をする。

第二次世界大戦が終了した時点（１９４５年）で、米国の石油会社がオイル市場を支配し、国際慣行としてオイルはドルで値付けされていた。しかし、ベトナム戦争の戦費が膨れたことなどで米国の金が底をつき、１９７１年、ニクソン米大統領が突然ドルの金本位制を停止した。

これで、ドルは、何の保証もないただの紙切れになったのだが、１９７３年、ビルダーバーグ会議で世界の石油流通制御を決定し、ＯＰＥＣに石油価格設定と取引をドルに限定要請。そうしておいて、イスラエルを使って第四次中東戦争を誘発して石油禁輸措置を断行し、石油価格を４００％上昇させて劇的にドル依存度を高めた。

これによって、ドル支配による金融利権支配が決定し、英米金融機関と英米多国籍石油企業に莫大な権益をもたらすことになった。

同時に、世界の産業発展は破壊的衝撃を受け、日本では高度経済成長が終わった。その後は、石油の売買にドル以外を使用させないペトロダラー・システムを守るための戦争や国際紛争が相次ぐことになる。

2000年、フセイン大統領が石油輸出通貨をユーロに移行宣言するや否や湾岸戦争勃発。「ペトロダラーからの移行は許さない」という米国の強烈な意思を示した。2008年、イランがドル以外の石油取引市場を開設すると、チェイニー副大統領らが対イラン戦争を企てるも実現せず、イラン経済制裁を強化することとなる。2011年、カダフィー大佐が自国の豊かな石油資源の恩恵をアフリカ・アラブ諸国と共有しようとして石油輸出通貨をアフリカとアラブのための単一通貨ディナールに移行を宣言した。その直後、米国によって内戦を誘発されカダフィー大佐は米軍に殺害される。これが、ペトロダラー・システムだ。

米国は、ペトロダラー・システムを堅持するために、湾岸戦争、アラブの春、東ヨーロッパ諸国のカラー革命、イランやベネズエラに対する攻撃的措置等、領土変更をせずにその国の政体を転覆し、あるいは転覆を試み、ドル支配の構造を強化してきたわけだ。

米国の実業家ピーター・J・クーパーは「米国の覇権を打ち破るには、石油収益を使って、米ドルの代わりとなる、そしてより有効的な政治権力となる通貨を奨励することである。アラブ諸国は石油支払いをドルからユーロに移行することで、新たな世界秩序の形成に極めて重要な役割を果たすことができるだろう」と言っていたが、プーチンがそれをやってのけたわけだ。

それと、ＳＷＩＦＴという決済銀行システムからもロシアを追い出したが、逆にロシアと中国が新しい決済システムをつくり、ほかの国もそっちへ移行し、西側諸国がつくった決済システムが逆にスカスカになってきた。

そして、ＢＲＩＣＳは、米国抜きの経済圏をつくり始め、国連でも今米国の提案に賛成する国よりもロシアの提案に賛成する国のほうが圧倒的に多い状況になっている。

何よりも、ロシアは石油、天然ガス、ウランなどの資源を持っているから強い。シェールを除いたら世界一の産油国がロシアで、ＯＰＥＣやイランとオイルで連携を組み、天然ガスでも世界第一位の産出国ロシアは世界第二位のイランとも手を組んだ。

今は、ヨーロッパがロシアからエネルギーを買わなくても、それ以上に大量の消費をするインドや中国がロシアからエネルギーを買ってくれるものだから、もうヨーロッパに売らなくてもよくなっちまった。

つまり、経済とか政治状況は、完全にプーチン大統領の計画通りに進展していて、米国やＮＡＴＯ諸国がロシアより有利なのは軍事しかない状況だ。

だから、英米は絶対にロシアが戦争をやめられないように、大量に武器をウクライナにつぎ込んでいる。しかし、その戦争でもロシアに勝てるかといったら、ロシアは、ゼレンスキーの挑発には乗らず、やるなら核戦争も辞さないという態度を取っているので、英米の考えるようには進展していない。つまり、米国にとっては最後のよりどころである軍事力もロシア相手には効果がなかったわけだ。

このような状況の中、日本政府は、全て米国から提供された情報に依存した状態で世界を見ているものだから正しい判断ができない。国民もまた、占領下の情報検閲体制をそのまま引き継いだメディアの情報しか報道されない中で、自立した正しい思考ができない環境に置かれている。戦後の高度経済成長期やバブル期は、そうした情報統制下にありながら、日本国民は大きな問題に直面してこなかったことで、これに対する問題意識さえ失いかけている。

また、第二次安倍政権下に成立した「平和安保法制」には、有事の概念として我が国の領土に対する攻撃以外にも「我が国と密接な関係にある他国（米国）に対する武力攻撃が発生し、これにより我が国の存立が脅かされる」とする「存立危機事態」という新たな定義が書き込まれた。それほどまでに「米国なしには我が国は存立できない」という考えが浸透し、政府、メディア、御用学者は中国やロシアの脅威ばかりを主張し「日米同盟以外に我が国は守れない」として自ら選択肢を断ち切っている。

日米同盟さえあれば、日本は安全と思っていたのだろうが、今の状況は正反対だ。日米同盟によって日本は滅びる可能性が高くなった。このまま米国とＮＡＴＯがロシアに対して戦争を挑発し続ければ核戦争が起こることは必然だ。

核は1回使ったらそれだけでは終わらない。核という武器がほかの武器と違うのは、お互いに核が向いているので、先に潰されると反撃戦力ゼロになってしまうことだ。だから先制攻撃が核戦争の基本的な考え方だ。

仮に先にボタンを押された場合は、相手のミサイルが地上に着く前に発射しないと報復核攻撃能力が失われる。だから、相互確証破壊という状況が生起する。核戦争になったら必ず両方が莫大な被害を受ける。

現状は、歴史上最も核戦争の可能性が高い状況にある。ロシアの核弾頭が6000以上、米国には5000以上あるが、大方は先ず相手の核基地に向けている。核基地以外の所に向けられている核はほとんどない。

日本に核ミサイルが飛んでくるとすれば、米国が日本に核を持ち込んでいる場所に限るということになる。その場所は、日本人は知らなくてもロシアは知っている。横須賀とか横浜とか、状況によっては横田や厚木等、在日米海軍および在日米空軍基地、そしてその周辺だ。

今年（2024年）4月3日には、米太平洋陸軍のチャールズ・フリン司令官（陸軍大将）が、在日米大使館での取材に応じ、「中距離能力を持つ地上ミサイル発射装置が、間もなくアジア太平洋地域に配備される」と述べた。この中距離核戦力発射装置が日本に配備されれば、日本は自動的にロシアの核攻撃のターゲットとなる。

米露戦争が始まったら、米国は日本に対して「存立危機事態」を根拠に防衛出動をかけろと言うに決まってる。つまりロシアに宣戦布告しろと。それを岸田さんが断れるわけがない。そうなると、日本はロシアから全く攻撃されていなくても、米国と一緒にロシアと戦うという構図になる。

もちろん、日本はロシアに対して攻撃する能力は全くないが、米国は当然のごとく、日本国内からロシアに対して攻撃する。軍事的には日本の地理的ポジションはロシアを攻撃しやすいし、イージスシステムも日本にはあるからだ。米国が日本の領域から核攻撃をすると、ロシアは自動的に日本に核攻撃をすることになる。

自律した判断ができない政府国民であることに加え、自主防衛能力を持たないとこんなことになるんだ。

こんな主体性のない戦争に日本の戦闘者は関わらないのが大事だ。これは日本のための戦争ではない。日本を潰すための戦争だ。何のために戦うのか。日本の戦闘者だったら戦うべき時と場所をちゃんとわきまえていなくてはいけないぜ。

24 戦略

今項では、戦略的思考そして戦略行動について話をする。つまり、見通す限りの将来において何を成し遂げたいかということだ。よく、お偉いさんがスピーチで「不透明な国際情勢の中」とか「先行きの不透明な情勢下に」とか言うが、これは自らの戦略思考の欠落を宣言しているようなもんだ。

自分がどうしたいかが明確であれば、不透明な未来なんてものはない。自分がなそうと決めたことが、どれほど実現できるかだけの問題になる。社会の在り方に関して、自らの意思とヴィジョンを持たない奴は、世の中の変化に対応できず右往左往しているが、世界は明確な意思とヴィジョンを持って動いている。だから、不透明な国際情勢なんてものはないよ。だたし、その意思とヴィジョンが一つではなく複数あるだけの話だ。

複数の意思とヴィジョンが存在する社会の中で、自らの意思を如何に実現するかということを常に考えることが戦略的思考となり、それを具体化するための行為が戦略行動となる。

断っておくが、現在の法律や制度に乗っかってどんだけ金を稼ぐとか、決められた枠組みの中でいい成果・いい人生を達成するというような、他者の意思とヴィジョンによって決められたルールの中で自己実現を図るような思考と行為は、戦略とはいわない。これは戦術レベルの話だ。戦略とは、自らがルール・メーカーとなり、創造的に社会を構築しようとする思考と行動だよ。

さて、そこで将来の社会づくりの話に移るとしよう。先ず、現状において世界情勢に最もインパクトを与えている要因は、善かれ悪しかれ「グローバリゼーション」であるということには異議がないと思う。

もう一つは、第二次世界大戦以降、このグローバリゼーションをけん引してきた「米国の政治・軍事・経済・情報等のコミットメント」が大きな要因であるということも自明のことだ。

この二つの要因の変化が将来の世界環境に最も大きな影響を及ぼす。したがって、この二つの要因を基軸に世界の将来推移を見てみると、四つの将来シナリオが描かれる。

一つ目は、「グローバリゼーションがさらに進展して、米国のコミットメントが継続する」シナリオ①。

二つ目は、「グローバリゼーションは進展するが、米国のコミットメントは後退する」シナリオ②。

三つ目は、「グローバリゼーションが後退し、米国のコミットメントは継続する」シナリオ③。

四つ目が、「グローバリゼーションも、米国のコミットメントも後退する」シナリオ④。

それぞれのシナリオについて少々説明すると次のようになる。

シナリオ①は、グローバリゼーションがさらに進展するということだから、現在推進中のグレート・リセットが完成した状態だ。

世界中の人間の一元的デジタル管理化とともに国家主権が存在意義をなくし、新世界秩序の下に世界は革命的変革を遂げた社会へと移行する。

これを米国がけん引するということは、表面上、民主主義的カモフラージュを取るため、実際に世界を管理するパワーエリートの真意は情報操作によって秘匿されたまま、フェイクとバーチャルな情報下に世界は管理されることになる。

この世界においては、世界中の政治、経済、情報、軍事等権力機能は国民国家から少数のパワーエリートに移管され一元的に管理される。

つまり、共産主義体制と同じように世界秩序に対する批判や挑戦は世界政府によって抑制排除されるので、形態上は戦争も対立もない奴隷的平和状態となる。

日本という国家は存在せず、せいぜい日本という地域名称が残るか、あるいはよりデジタル管理しやすい記号名称に変わる。

個々人は、管理者から与えられるデジタルコインによるベーシックインカムや信頼スコアに応じたデジタル報酬がチャージされる中で、完全監視下に決められた生活をすることになる。管理者が指示するワクチン接種や居住地、職業、言論等の各種統制に従わなければ信頼スコアが下がり、デジタル通貨の使用が停止され生活不能になる。

世界人口調整が行われる場合は、こうした管理命令への不服従者だけではなく、能力評価の低い者から順に殺処分される。

シナリオ②は、基本的にはシナリオ①と同じなのだが、それをけん引するメインプレイヤーが中国になるというケースだ。

これは、中国独自の意思と力でそこまでいけるわけではなく、パワーエリートと呼ばれるグローバリストが中国を利用してグローバル化を推進するというものだ。

例えば、ビル・ゲイツなどはコロナ対策などにおいて中国のやり方を絶賛している。政府の指示に従わなければ、躊躇なく強制力を持って従わせるというやり方だ。

新世界秩序を推進するパワーエリートは、その前提において民主主義と国家を否定している。そうしないと、少数の限られた個人が世界の富と権力を手中に収めることはできないからだ。

米国が主導する場合は、最後に厄介なのが民主主義だ。人々がデモを起こし、ホワイトハウスまで占領するようでは、最後の締めで失敗する。最後は中国のように強制力を持って服従させるというわけだ。

だから、このシナリオ②がシナリオ①と違うのは、人々をフェイク情報で騙して管理するのではなく、強制力を持ってわかりやすく服従させるというものだ。

シナリオ③は、元米国大統領のトランプなどが主張していたように、米国が米国の国益に専念し、グローバリスト（トランプのいうＤＳ〔ディープステート〕）を排除するというものだ。その結果、グローバリストの目論見は否定され、国家の力関係による世界が出現する。

この世界では、依然として米国は大国であり続けるが、世界秩序の構築に対する責任には無関心で、関心は自国の利益だけである。それぞれの主権国家が自国のことだけを考えるわけだから、不安定ではあるが、冷戦間や冷戦後のように世界政府の確立のために国家を転覆させるような紛争はなくなる。

国家資産の国外流出は監視されるので、資本の自由な移動は禁止される。つまり個人による自由競争を原則としていた市場経済はなくなる。常に経済活動には国家が干渉する。

人々の生活は国力に応じたレベルになり、資源国や生産力の高い国の国民は豊かになる。他方、無資源で生産力の低い消費国家は衰退し国民は貧窮に陥る。

日本は、米国による援助も支援もなくなるので、食糧の自給率を向上させ、人口増加を図り、自立生産力を高めなくては三流の貧困国になる。

シナリオ④は、人類学者のエマニュエル・トッドなどが主張している世界で、アングロサクソンがリードしていた単一秩序の世界は終わり、世界人類の多様な家族構造を基盤にした多様な文化国家から成る世界が出現する。

現実的には、プーチン露大統領等がダボス会議等で主張しているもので、それぞれの民族の文化伝統、信仰をベースにした主権国家から成る世界の再構築である。

現在大国と言われているような国も、構成する人々の文化や信仰に応じ、自治が細分化されるので、超大国はなくなる。それぞれの国の政治行政、司法、経済等は、自国の文化、宗教、伝統に基づいた形で運営される。

このような世界では、自立した民族としての社会理念がしっかりと確立している国は国民の結束力が高く国力も増進する。他方、国家としてのアイデンティティがなく、独自の社会理念が不明確な国、例えば、市場に依存しマネーを稼いで大量消費することでGDPだけが高かったような国は消滅するであろう。

さて、こうした四つの将来シナリオができたところで、日本にとって真に望ましい国際環境とは何かを考えなくてはならない。この四つの中のどれがいいかではなく、真に望ましい国際環境を構築するためには、この四つのシナリオを如何に利用するかが戦略的考察になる。

現状のまま何も変化がなければ、シナリオ①かシナリオ②が実現するだろう。このシナリオが日本を破壊し、将来の夢が失われていくことは、現状からも推察できるが、エンド・ステートは日本がなくなるのだから最悪である。国家を失った日本人は、グローバリストの手先となった一部の売国奴だけがいい目を見るだろうが、大方の日本人は奴隷化するか殺処分されることになる。

欧米のナショナリストは、反グローバリズムを掲げて、多くの国民の賛同を得てシナリオ③を目指しているようだが、大方の反グローバリストはトランプのように不正選挙やスキャンダル、暗殺などで潰されている。

シナリオ③の世界環境下において、日本が自力で国力を増進するためには、明治から大東亜戦争までと同じように富国強兵による国力増進しか手段がない。断っておくが、このような世界環境下に日米同盟は存在しない。何故なら、日米同盟は米国が世界秩序構築のために日本を利用するツールに過ぎなかったからだ。

アメリカ・ファーストの世界において米国が日本のために何かをしてくれるわけがないのだから、仮に日米同盟という名前だけが残ったとしても、それは米国の使い古しの兵器を売りつけるための枠組みにすぎない。

そもそも、富国強兵のような覇道政治は、日本の文化価値と相反する。

もし、このような国際社会で日本が生きていくとすれば、江戸時代のような鎖国体制を取るのが最適だろう。しかしながら、大国である米国や中国やロシアに挟まれた日本が、常にそれら大国の干渉に悩まされるシナリオ③もまた、日本にとって望ましい国際環境とは言えない。

シナリオ④は、大東亜戦争終戦以降、日本が日本らしく存在することを決定的に妨げてきた米国とグローバリストの軛（くびき）から日本が解放される世界だ。

日本人が日本人としての価値を取り戻し、自らの文化価値の中で生きていく覚悟を決め、神武建国以来の国家を構築するとすれば、シナリオ④の国際環境を利用するのが望ましい。

つまり、現在における日本の戦略的思考と行動は、如何にシナリオ①～③の実現を回避し、シナリオ④の実現を促進するかに向けられるべきだ。

しかし、もっと大事なことは、日本が日本であるため、日本人が日本を自治するための根本的価値が何であるのかが明確に確立されてなくては、全ての思考と行動を誤ることになる。

日本という国家の起源は、戦後でもなければ近代化された明治でもない。一貫して日本を貫いているもの、それは、肇国（ちょうこく）の時代（戦後は縄文時代と呼んでいるが神話で言えば神武建国以前のこと）の生活文化形態である。世界で最も早く集団で定住生活を始め（1万7000年ほど前から）、世界民族の中で最も長く同じ土地に住み、しかも土地を枯らさず豊かにして自然と共存共栄してきた日本人。それができたのは、「家」という集団を大事に継承してきたからだ。

その後、神武天皇の建国の詔では、その家の団結を国全体に広め、宇宙の下に一つの家のような国を創ろうと人々に呼びかけた。だから日本では国を「国家」という。真の平和は、人々が家族的団結をしなければ達成できないとの確信があったからだ。

残念ながら、戦後占領下に、この日本の「家（父系家長制縦家族）」が壊され、アングロサクソンと同じ絶対核家族になり個人主義が啓蒙された。社会倫理や道徳を育む母体としての家は、戦後占領下に家督相続から個人相続に変えられたことによって法的に消滅した。

戦争がなければ平和だと教えられ、悪いことを正せない奴隷的思考と抵抗できないような非暴力の世界を平和な世界だと刷り込まれ、結果的に、法に支配された奴隷状態の新世界秩序を平和な世界と勘違いするように洗脳されてきた。

平和は、個人や法による契約や支配によっては生まれない。好きな人とも嫌いな人とも生命活動を共にする共同生活の中に平和がある。

自由と平等の上には競争と対立が醸成されるので平和な社会は生まれない。条件としての自由と平等は、結果として競争で勝利した少数の人間が権力を占有する、不自由で不平等な社会を形成する。

これを抑制するために権威社会が存在する。権力者が自分勝手なことができないように、社会的地位には道徳的倫理的義務が要求されるという仕組みだ。だから日本では、「お父さんの言うことは聞きなさい」とか、「村長が決めた以上は文句は言うな」というような権威社会をつくって、上に立つ地位には道徳的責務を義務付け、「自分の好き嫌いで人を峻別するな！みんな仲良くやれ！」という役を与えた。

家では家族全員がお父さんを権威付けるように主体的に協力し、里では里人が村長を権威付け、国家では国民が天皇陛下を権威付けてきた。これが「和」の実態であり、好きな人とも嫌いな人とも1000年以上に亘り共同生活ができた仕組みだ。

この和の文化を「家」で実践教育することで共存文化が慣習化し、家から集落に広め共助文化となり、地域から国家に広め共栄国家をつくりあげてきた。共存、共助、共栄、これが日本人の根本価値である。

日本人が、このことを自覚し、一人一人の主体性ある団結によって国家の再興を図れば、世界に真に平和な国が生まれることになる。

25 今、ここが戦場だ

２０２２年は、世界の大転換が決定的になった年であった。ロシア―ウクライナ紛争を契機に、株式と債券の時価総額が45兆ドル減少した。それまでは、コロナ騒動下に、年間資産増額率が平均で40％を超えるという勢いで世界中の資産が富豪に集中し、世界の総資産の50％以上を長者番付上位20名が保有するという異常な現象が加速的に続いた。ところが２０２２年、それが逆転し、億万長者の資産が近年初めて減少したのだ。

その中で、親露親中と言われるイーロン・マスク氏や、米露間で比較的中立的な見方をしているブルームバーグ氏らだけは資産を増やしている。

同じようにロシア―ウクライナ紛争以降、米国債は信用を失い世界中の国々が売りに転じ、フランスやイタリア等欧州諸国でも保有総額の15％以上、ＢＲＩＣＳは平均で12％、東南アジア諸国は軒並み20～40％売却した。台湾（13％売却）やイスラエル（23％売却）も近年に例を見ない売却に転じた。日本と並んで1兆ドル以上の米国債保有国であった中国は、17％以上売却し、保有残高が９０００億ドルを割り、なお売り続けている。

これに対して、一所懸命買い支えているのは、自国のインフレをさらに煽りながら買い続ける英国やケイマン諸島など少数で、米国は法律の制限枠目いっぱい買い支えてもデフォルトを免れない状況まで追い込まれた。

気の毒なのは、事実上米国の占領下にあるイラク等で、この世紀の不良債権を70％も買い増しさせられている。

ウクライナのゼレンスキー大統領も、他国に巨額の資金援助を当たり前だと言わんばかりに請求しておきながら、戦争を始める前の年から米国債を一気に300％超買い増しするという異常な勢いで買い入れている。当然その金は米国から流れている。

ドルで支えられている世界のマネー・システムで生きてきた個人資産家も相当の額をつぎ込んで米国の破綻を阻止しようとしているだろうが、結局、米国債海外保有高はロシア―ウクライナ紛争が開始されて半年で約6000億ドル減少した。この超不良債権を世界ダントツの1位、1兆円以上保有しているのが日本であるということを付言しておく。

前々項でも述べたように、ドルでしか石油を売買できなかったペトロダラー・システムが崩壊し、オイルはルーブルや人民元で売買されている。

世界の新興国と資源国のほとんどが、ロシアの金を担保にしたデジタル国際決済通貨に切り替え、ドルが支配した世界秩序は完全に崩壊した。

これは、世界規模のバブル崩壊であり、GDPで国力増大を図る消費大国主導の時代は終わり、資源国が自国資源を正当なる自国資産・国力として活用できる世界へと移行しつつある。

つまり、近代以降、アングロサクソン（英米）がリードしてつくってきた世界制覇システムが崩壊したのである。

前項で触れた四つのシナリオで言えば、「グローバリゼーションがさらに進展して、米国のコミットメントが継続する」シナリオ①はなくなり、「グローバリゼーションは進展するが、米国のコミットメントは後退」し、代わって中国が台頭するシナリオ②と「グローバリゼーションが後退し、米国のコミットメントは継続する」シナリオ③の可能性は低くなった。

残るシナリオは、四つ目の「グローバリゼーションも、米国のコミットメントも後退する」シナリオ④である。

前項でも言った通り、シナリオ④は、大東亜戦争終戦以降、日本が日本らしく存在することを決定的に妨げてきた米国とグローバリストの軛から日本が解放される世界だ。

日本人が日本人としての価値を取り戻し、自らの文化価値の中で生きていく覚悟を決めることができれば、日本は自立した大国として世界をけん引できるだろう。

ところが残念なことに、日本国も日本人も消滅する米国と市場のシステムに依存し切った状態から抜け出せない状況にある。それは、米国と市場によってつくられ、教育とメディアによって煽動される「偽民主主義」を戦後日本国民の大多数が宗教的信仰のように信奉しているからだろう。「自由・平等・民主主義教」というイデオロギー上の独断的価値を無批判で受け入れてしまっているのだ。それに従って行動すれば、必ず平和な社会がおとずれ、一切の社会問題から解放されるという宗教的教義を疑うことをせずに信じているわけだ。

「自由・平等・民主主義」というイデオロギーは、今の日本では政治上の救世主主義で、これを信じないものは「右翼だ」「左翼だ」「危険だ」「カルトだ」「陰謀論者だ」などと悪魔のように批判され、排除される。

日本人の生き方そのものである神道や武士道精神を語った瞬間、「宗教だ！」「ゼンジダイだ！」「イマサランだ！」とＮＨＫの少年少女向けテレビ番組『天才てれびくん』の中でさえ放映している。

しかし事実は、そうした主張を繰り返す奴らこそ「自由・平等・民主主義教」の宗教的信徒そのもので、彼らが信じている価値観は既に前時代（ゼンジダイ）の遺物化しているのだ。

そして、このような狂信的な「自由・平等・民主主義教」教徒たちが日本を滅ぼす元凶なのだ。

「自由だ」「多様だ」と言いながら、常につくられた流行の中に生き、画一的で個性も主体性もない偽民主主義世界では「マスクだ」「ワクチンだ」と村八分のための踏み絵のようなことをし、多様なものの見方を否定する。決められた思考パターンと、決められた社会ルールに従い、決められた行動様式で生活する既製品のような生き方しかしていないくせに、「人権」を主張する。そこには1㎜の「人権」もない。

そんな生き方をするものだから、間もなくAIとロボットに取って代わられ、人間としての生きる意味を失う。この人たちのいう〝権利〟は、身勝手や利己主義と同義語となっている。そして、無責任や他人の権利の侵害の口実に悪用される。

このような権利の上に立つ偽民主主義教の人たちにとっては、義務も責任もどうでもよく、できるだけ権利を主張して、取れるものはできるだけ取り、義務と責任はできるだけ拒絶する。

その結果、帰属社会や会社、そして国が困っても自分さえよければいいことになり、社会集団としての体制は弱体化する。

まさにこれが、「自由・平等・民主主義教」を広める者どもの戦術であり、実体のない権利を餌に、それを主張する人も、その人が帰属する社会をも破壊するのが目的だ。

人間個人で言えば、試練に耐え、困難に挑戦し、自らの力で自らの未来を切り開いていこうという生命力が失われ、生きようとする意思の急速な衰弱は自殺へと向かうことになる。

国家においても同じことが言える。日本人として一致団結し、協力して国難に対処し、日本人自らの力で日本の未来を築いていこうとする意思が失われたとき、日本は自殺することになる。どこの国が攻めてこなくても、地球規模の天災に襲われなくとも、日本人自らが日本を殺すことになるのだ。

このようなことを、日本の戦闘者なら看過できるわけがない。
日本の戦闘者足らんものは、先ずは自立することだ。学校（啓蒙）教育やメディアの洗脳に侵されず、物事一つ一つを自らの体験をもとに自分の頭で考え、体験から導き出されたルールを自律的に確立し、ほかに頼らず主体的に行動する。それによって生じた結果を教訓として正すべきところは正し、良い成果はさらに改善を重ね、どんどん積み上げながら成長を重ねる。ここに、思想と行動の真の自由がある。

一人一人が、自立していなくては「自由」も「平等」も「民主主義」もない。
権利としての「自由」「平等」そして「民主主義の理念」を謳う憲法下の今の日本に、「自由」も「平等」も「民主主義」も存在しないのは誰の目にも明らかだろう。それは、国民一人一人が自立してモノを言えないからだ。自立して行動できないからだ。そして自立して生きていけないからだ。

自立できた日本人が、良い家庭、良い集落、良い国家をつくることに自らの信念を持って力を尽くすんだよ。同志が見つかれば共に力を合わせてできることから始めるんだよ。幼老、男女、能力、個性に応じた役割を分担して共働し、遙かな理想に向けて生涯努力をなし続ける。結果はどうあれ、みんなでより良い家庭と集落と国家を創るために力を合わせて努力している過程こそが幸福な良い社会に繋がる。

俺は、そう信じて百姓をしている。いい国創りのためにやる草刈りや畝立て等日々の野良仕事は本当に幸せな気分になるよ。

その中で、この国づくりへの道のりを妨害する者がいれば、命を賭して戦う。そういう者が日本の戦闘者となる。

現代は、まさに日本の戦闘者にとっては仕事が有り余るほどあるやり甲斐のある世の中だ。戦争がない世界が平和なんていうのは嘘っぱちだ。我々は今、弾の飛んでこない戦場にいる。

毒入りの食い物と毒そのものの薬を与えられ、金とルールと情報の攻撃にさらされ、普通に生きていけるはずの人々が普通に生きていけなくなってくる。

毒入りの食べ物や薬剤、助け合うべき家族や社会の解体など、望まなくても国民一人一人が、生き死に関わる日常にさらされているんだ。

これは平和な社会ではない。今我々は「新たなかたちの戦場」の中にいる。敵はそこいらじゅうにウジャウジャいる。

見分けがつかなかったら自分を餌にしろ。正しいことを言って正しい行為をすれば、直ぐに敵がかぶりついてくる。そこで、見えなかった戦場が認識できる。

勇気を出して戦場を直視しろ。戦い方には頭を使え。勝つことが目的ではない。貫くことが目的だ。

自分の中の戦闘者を呼び起こせ。自分の周りに戦闘者がいたらお互いに助け合え。決して日本を見捨てるな。自分だけ安全なところに隠れず共に戦え。日本は、日本の戦闘者であるお前と共にある。お前が日本だ。肉体を護るのではなく心を守れ。お前を守るのではなくお前が目指す家や集落を守れ。その心を継承する日本の戦闘者がいる限り日本は大丈夫だ。

26　先人たちの偉業

この数年で国際情勢が劇的に変化し、世界が大きく変わるという話をしてきたが、それにもかかわらず、日本と同じように、この歴史的大転換から立ち遅れているように見える大国がある。それがドイツだ。そこで今項は少しドイツの話をしよう。

先ずは、俺の身の上話で、１９９５年から１９９７年の２年間、ドイツ連邦軍指揮大学へ留学したときのことを詳しく話そう。

戦後のドイツは日本と同じように、米英から歴史の断絶を強要されたために、あれほど強かったドイツ軍やプロイセン軍の精神的継承はなくなってしまった。

戦後の日本が、個人の命以上の価値を失い、世界最強の戦闘者集団としての影も形も失ってしまったように、ドイツ軍も精神面において弱っちいものになってしまった。社会全体の雰囲気が命を捨ててまで国のために戦うことに価値を見出せなくなったわけだ。

とはいっても、日本にまだ伝統文化を護り、そこに自分の命以上の価値を見出している戦闘者が生き残っているように、ドイツも完全に死んだわけじゃない。

戦後、米英は、日本とドイツが二度とアングロサクソンの秩序に対抗できないように厳格なる管理制度を確立したが、そのやり方はそれぞれ異なるものだった。

何故なら、戦前、日本の周りの大東亜共栄圏を目指したアジアの諸国家は皆日本と価値観を共有する同盟国で、共に米英と戦ったのだが、ドイツは周りが全て敵国で対立関係にあったからだ。だから、戦後冷戦が始まると同時に、英米の対ソ戦略上、日本とドイツを再軍備させるにあたり、ドイツに対しては最初からドイツ軍をＮＡＴＯに組み入れることにした。

これによって、ドイツ政府が単独で自国軍を指揮運用できないようにし、戦勝国がドイツ軍を指揮運用する方式を取った。

これに対し、アジアでそれをやろうものなら米軍と豪軍以外は、全て日本と共に大東亜共栄圏を目指した諸国家の再結成になる。アジアで集団安全保障体制を取れば戦前の大東亜連合軍ができちまうってわけだ。

そこで米国を中心とするハブ方式で2国間安保体制を取って、米国が国別にコントロールすることにした。日本に対しては憲法9条と日米同盟で自衛隊を管理する仕組みを取った。

念のために言っておくが、大東亜戦争当時の中国では、日本と汪兆銘（おうちょうめい）の中国国民党政府（首都南京）は同盟関係にあり対英米戦争を遂行していた。

これに対し、米英が支援する毛沢東の中国共産党軍（首都西安）と蔣介石の国民党軍（首都重慶）が中国国内で戦っていた。日中戦争なんていう造語は戦後できた言葉で、そんな戦争を日本はしてないよ。あったのは、満洲事変と支那事変で、どちらも米英の対日工作だよ。

また、グリーンベレーとＣＩＡの前身であるＯＳＳが中国で遂行していた非通常作戦は、親日的感情を持っていた多くの中国人に反日感情を植え付けることが目的だった。

ＯＳＳが、中国国内で民間人に対するテロや民間人を使ったテロを工作し、「中国人が日本人を殺した」あるいは「日本人が中国人を虐殺した」というデマを流して、相互の敵対感情を醸成していたんだよ。

具体的には、ＯＳＳの連中が中国人の子供をさらってきて軍事訓練を施し、日本兵や日本人に対するテロ行為をさせた。

それにより日本人の中国人に対する不信感を煽り、その子供を日本兵が捕まえると、今度は日本兵が中国人の子供を虐待したということにして、中国人の日本人に対する憎悪をつくりあげたわけだ。

このようなことは、ウクライナ東部で、ウクライナ人を訓練してロシア系住民を虐殺させたり、ロシア人がウクライナ人を殺したなどと宣伝しているのと同じだな。

こうした敵対感情を醸成する謀略活動は英米の得意技だが、今でも、「陸自ヘリが宮古島上空で墜落したのは中国軍がやったのだ」とかいう極めて軍事常識と政治常識から逸脱したバカ話を拡散しているのを見ると、何も変わっていないとつくづく思うよ。そのとき、宮古島の飛行場には米空軍の電子戦機がいたんだぜ。

話を元に戻す。1955年ドイツ連邦軍は、NATO内の軍隊として創設された。ドイツ国内では、「デモクラシーの軍隊」として誕生する。日本でも「民主主義の自衛隊」と言われたのと同じで、どちらも言葉とは全く無関係に、同じ時期に英米の対ソ連略上の必要性によって創られた軍隊だ。

ドイツ連邦軍が日本の自衛隊と違うのは、徴兵制度下の軍隊であるという点だ。

戦後の日本では、「徴兵制度」は議論すらタブー視されているが、これは、徴兵制度は国家の国民に対する軍役の強要であり、本人の意思に反する苦役の強要に当たるため、憲法の趣旨から許されないとしているからだ。

簡単に言えば、日本では、「戦争は悪いこと。軍人は悪い人、徴兵なんてもってのほか」と教えてきたということだな。

ところが、ドイツでは全く逆で、職業軍人化した軍隊は、ヒトラーのナチスのように「国家の中の国家」、すなわち国民の意思とは異なる意思で行動する恐れがあると危惧されたわけだ。そこで、戦後のドイツでは国民（男子）全員が兵役に服することとなった。

俺が留学していた頃は、例えば師団約2万2000名の兵隊のうち職業軍人は士官と下士官の一部のみで全体の10％にも満たない2000名程度、その他の士官と下士官および全体の60％を占める兵員（日本で言えば士長以下、英語ではプライベート）は全員が徴兵軍人であった。

さらには、師団の広報部には、民間の記事作成・編集の専門員が2名配職されており、軍に関する情報は基本的に全て市民に公開するのが一般化している。

このような徴兵制度の下の「デモクラシーの軍隊」は「制服を着た市民」とも呼ばれ、まさに国民皆兵であるのだから軍服を着て街を歩くのは当たり前で、軍服を着ていると何処でも国民から敬意を持って迎えられる。

日本では、日教組の先生から「自衛官の子供は教室から出ていけ」と言われて机を廊下に出されたような時代もあったが、今でも東京勤務の自衛官が制服で通勤ができないのとは大きな違いである。

ただし、「デモクラシーの軍隊」の面倒なところは、「個人の自由と権利の尊重」と「任務遂行に対する責任と義務」のバランスを如何に適切にするかということだ。事実、命令指示に対する「苦情」と「不服」は、師団司令部だけでも年間100件を必ず超えるとのことだった。

特に、俺が留学していたときは、それまでのNATO軍の中だけで軍事作戦をするという戦後軍事体制を見直し、ドイツ軍単独の作戦やNATO域外の軍事作戦も遂行できるよう防衛構想の大きな転換を図っていたため、実任務行動に対する不服申し立ての書類が各部隊において山のように積まれていたよ。

いずれにしても、俺がドイツに留学していた頃は、冷戦終結後の新世界秩序への移行期で、急速なソ連経済圏の崩壊と西側諸国家の対米自立への挑戦が活発だったので、ドイツ軍にとってはとても重要な時期であった。

エリツィン大統領の市場開放政策によりロシアの国家資源は西側の資本に食い散らかされ始め、カーター大統領の補佐官ブレジンスキーの戦略である「NATOは東方に拡大する必要がある。ポーランドからウクライナまで、そしてすでにかなり後退したロシアの国境線まで拡大するべきである」との考えの通り、米ソの約束を破棄してNATOの東方拡大が当然のように話題にされていたよ。

ドイツが受け入れる外国人留学生（少佐以上）も、ロシア・東ヨーロッパ諸国枠が拡大され、俺の同期海外留学生63名中31名がロシア・東ヨーロッパ諸国の軍人だった。だから今でもウクライナ、ポーランド、ベラルーシ、カザフスタン、ルーマニア、アルバニア、ウズベキスタン、キルギスタン、チェコ等、東欧諸国の同級生と情報交換ができる。リトアニアやスロバキアの同級生は軍の最高司令官だ。ロシアからは陸海軍とも大佐が来ていた。同期のロシア陸軍の大佐はスペツナズ（特殊部隊）の指揮官だった。

この間、俺は、第10戦車師団に1ヶ月弱の隊付き研修をし、当時最新式の主力戦車レオパルト2や空中機動が可能なヴィーゼル空挺戦闘車などに搭乗して訓練をした。不整地を時速80㎞で走行・射撃したり、そこから急ブレーキでスピン停止、森林の中の高速走行、スペックぎりぎりの超壕・超堤走行等を体験して、ヘルメットがボコボコになり首がひん曲がりそうになった。それほど優れた装甲機動力が売り物のドイツ軍だったが、新世界秩序の世界では戦車のような戦力は無用として軽歩兵や特殊部隊の強化に切り替えた。最近ウクライナに送られている戦車は、今や安価なドローンが飛び回る戦場において役に立たなくなった遺物だよ。

ドイツは、ＮＡＴＯの変革において、ドイツ独自でドイツ軍を指揮運用できるような枠組みをつくり、国際政治において軍事的手段が使えるようになった。

政治経済では、ＥＵのリーダー的地位まで国力を向上し、政治的にじわじわ力をつけてきたドイツだったが、米英の影響力を排除したＷＥＵ（西欧同盟）の中の軍事的リーダーのポジションを取ろうとして米英に潰された。

このように、冷戦終了直後は対米自立志向のドイツだったが、今回のウクライナ問題では、日本と同じように対米従属政策を推進するショルツ首相の下、ドイツ自体が潰されそうになっている。

どういうことかと言うと、米国のウクライナ問題での戦略目標には「ロシアの弱体化」だけではなく「西側同盟の連携強化」というのがある。これは、近年、米国の影響力を排除しロシアとの協調関係を図っていたドイツ・フランスに対する離反阻止が含まれているということだ。

例えば、２０２２年のフランス大統領選挙では「フランスのＮＡＴＯ脱退」「ロシアとの軍事同盟締結」を選挙で掲げていたマリー・ルペン国民党代表が、決選投票で僅差で敗れた。しかしながら、ルペン候補の得票の6割近くが無効票扱いにされたなどの批判が出たように、フランス国民の多くが反米の意思表示をしている。

特に、ロシアにエネルギーの30％以上を依存しているドイツにとってロシアとの関係は死活的に重要だが、米国はそれを承知でドイツをロシアから引き離したわけだ。

日本と同じように、米国にロシアからのエネルギー供給断絶を迫られ、さらにはノルドストリームまで破壊されてエネルギー不足に追い込まれているドイツは、２０２２年、ロシアからのエネルギー供給を10％減らしただけで輸入費が3倍以上に膨れ上がり、強度のインフレに追い込まれている。

これ以上のウクライナ支援はドイツの衰退を余儀なくさせることから、米国との関係をどう決断するかで、今後のドイツの運命が決まってくる。

現在のショルツ首相は日本の岸田首相と同じで、自国のことより米国とグローバリストのために働いているわけだ。

そんなドイツ留学間に、俺にとって最も心に残ったことは、テレビで放映されていた「神風特攻隊の映像」と「欧米以外の留学同期生たちからの日本の戦闘者に対する畏怖の言葉」だった。

日本では、第二次世界大戦の映画と言えば、ほぼ全てドイツ軍が悪役になって米軍にやっつけられているが、ドイツでは、悪役はほぼ全て日本軍だ。そんな中で、頻繁に「神風特攻隊の映像」が放映されていた。ニコニコ笑って敬礼し出撃する当時の日本の戦闘者たちの映像だ。

そこで、ドイツ人に「何故、神風の映像がよく放映されるのか」と聞くと、「死地に赴く青年たちが、恐怖心も興奮も見せず、笑って飛んでゆくその姿に心からの敬意を覚えるからだ」という。

また、海外の留学生たちは口を揃えて「今、日本は米国の下で沈黙しているが、いざとなったらもう一度戦うんだろ。死を恐れないかつての日本の戦闘者のように」と俺に言った。

俺ら日本人は、今でも大東亜戦争まで継承されてきた日本の戦闘者たちの偉業によって守られている。世界には、日本の戦闘者に心から敬意を表し期待している人たちがいる。これが俺にとって、最も心に残ることだったよ。

27 国際特殊作戦部隊会議

俺は、これまで36ヶ国に渡航したが、実際に海外で生活したのは、ドイツに2年、米国に1年だ。1ヶ月以内の短期滞在は、自衛隊の公務出張と明治神宮武道場館長として武道指導での業務出張、そしてプライベートの旅行だ。

海外に行くと、行った先で感化されて外国人になってしまう人と、あらためて日本人としての自覚を持ち日本に愛着を持つ人がいるようだ。俺は当然後者だが、私人としてはともかく、公職に関わる者が日本より他国を愛するようになると国家の害悪になる。

例えば、米国をはじめとする多くの国では、国策として海外からの留学生を受け入れているが、その目的は「自らの価値観の海外への啓蒙・普及」である。つまり、他国に自分たちの価値観を持つ人間を養成するのである。これは、古典的諜者養成の手法で、中世の欧州では宗教による改宗がそれである。現代においては、米英等の大学や研究機関でのグローバリスト養成（いわゆる「売国奴」養成）が世界の主流である。

もちろん、日本人として自立した価値観を確立している者は、留学先でいくら啓蒙教育を受けても問題がないのだが、戦後の日本教育では、日本国民に日本人としての自覚と伝統的価値観を全く教育しないものだから自虐史観の日本人ができあがる。この自虐史観の日本人は、ちょっと理論的な説明を受けると、簡単に他国の間者（かんじゃ）になってしまう。しかも、金や女で買収されている者と違って、理論的に取り込まれた者は自分が売国奴であることに全く自覚がない。

最近は、戦後保守系のメディアなどが、親中・親露的発言をする政治家や役人を「中露に取り込まれた売国奴」のような言い方をするが、米国の管理下にある戦後の日本政府においては、中国やロシアの間者は絶対に出世できない。したがって、この人たちが政治に影響力を及ぼすことは不可能である。ところが、米国の間者は当たり前のように出世コースを歩む。この人たちは、日本を売り飛ばして、出世して、自分は正しいことをしていると認識しているから厄介だ。

だから、よく経歴を確認して、海外留学経験者で留学先の国とそこで習った理論を自慢げに吹聴し、日本は遅れているから変えなきゃいけないなどと言う奴は気を付けたほうがいいよ。

こんな話をしていても、そこいらじゅうこんな奴らばっかりで腹が立つだけだから、ここらへんでやめておく。

俺の自衛官時代の海外出張は、ほとんどが国際防衛交流というものだった。これは、2国間交流もあれば多国間の枠組みもある。目的は、国際政治における信頼醸成だ。

国際政治の中でも、軍事はとても重要な分野だということは言うまでもない。

日本だけは、この機能が欠落しているので、国際政治ができない仕組みになっている。だから、いくら経済大国になろうとも、国際政治力は弱い。

それだけではなくて、軍事常識が欠如しているから国際関係が読めない。中国が台湾に侵攻するとか、ウクライナがロシアと対等に戦えるなどという非常識なデマがまかり通る。

そもそも、自立した軍事機能が欠落していては独立国家たり得ない。

話を元に戻すが、国際政治において、相互不信による軍事衝突を回避し、軍備競争や無用な緊張を緩和するため、軍事当事者間の対話は必要不可欠である。冷戦後は、軍事面での国際協調も積極的に進められ、平和構築（新世界秩序構築）のためには軍事力が大きな役割を果たすようになってきていた。

俺は、1997年から2003年まで、陸上幕僚監部防衛部および防衛局防衛政策課に勤務している間に、英国、ドイツ、フランス、ロシア、中国、韓国との2国間防衛交流、並びに、テロ特措法の対米協力のための日米交渉等を担任した。また、特殊作戦群長間は、米国SOCOM、英国SAS、ドイツKSK、オーストラリアSOCOMとの2国間特殊部隊防衛交流、並びに、世界特殊部隊対テロ会議、太平洋特殊作戦テロ対処会議等に参加した。

こうした防衛交流では、相互に自国の防衛構想・編成装備・制度・予算等について説明し、訪問先の国は、実際に部隊視察、装備品の展示説明、訓練展示等を準備してくれる。お互いに、透明性を高め軍事当事者間の信頼醸成を進めようという姿勢が感じられるものだ。

特に、冷戦間に対立していたロシアとの将官クラス防衛交流などは、冷戦間の誤った相互認識の修正などにとても役に立った。

例えば、ソ連軍が北海道・東北に攻撃してくることを想定していた日本の認識は全く根拠がなかったことや、「オホーツク海の聖域化」等という構想はソ連にはなく日本側の妄想だったことなどが明確になった。

中国軍の部隊視察においては、中国陸軍の部隊予算を国家予算だけで賄うのではなく、部隊自体が農場経営や工場経営をしてその収益を充てるなどということを知った。膨大な野菜農園を軍隊が運営管理することを考えると、軍事訓練などに専念できない中国軍の特殊事情などを理解できた。

特殊部隊間の交流内容は公にはできないが、レギュラーフォース（通常部隊）とは違って、国によって特殊部隊の雰囲気は全く異なり、その国の政治特性に応じた特殊性を有していた。

2006年にフロリダで開催された「国際特殊作戦部隊会議」にチェイニー米国副大統領が参加した時のニュースで、著者は日本代表として前列2列目向かって右から5人目に写っている

共通するのは、どの国の特殊部隊も、国家の肝いりの部隊であるということ。それは、その施設や機器を見ればよくわかった。

また、特殊作戦指揮官は、国家の政治意思決定者と近い存在であり、オーストラリアＳＯＣＯＭの司令官などは、アフガニスタンでの作戦の定例記者会見では常に首相と隣り合わせで対応していた。

特殊作戦群が創設されて、日本は初めて国際特殊作戦部隊コミュニティのメンバーシップを持つことになった。グローバルな国際政治問題に対応するこの特殊作戦部隊コミュニティは、緊密に情報交換をしており、特にテロリスト関連の情報は、個体情報として「何時、誰が、何処で、何をしたか」というような事柄を、国境をまたいでリアルタイムで把握している。

そのような、国際特殊作戦部隊会議に、日本代表として初めて参加した俺は、あいさつがてらスピーチする時間をもらった。俺はスピーチの中でバイオテロについて話をしたのだが、内容が、その14年後に起こった「世界的コロナ騒動」に似ていたせいか、スピーチの後いろんな国の代表と内容の深い議論ができた。当時から、特殊作戦関係者の間では「世界的コロナ騒動」のようなバイオテロとその対処は当然あり得ることとして認識されていたということだな。

１９９７年にドナルド・ラムズフェルド、ディック・チェイニー、ポール・ウォルフォウィッツ等が立ち上げた「アメリカ新世紀プロジェクト（ＰＮＡＣ）」の報告書にも〈特定の遺伝子を狙い撃ちするような最先端の戦争が可能になれば、細菌戦争はもはやテロではなく政治的道具として使われることになる。〉（「アメリカの防衛再建——新世紀のための戦略・軍事力・資源、２０００年」）とちゃんと明記してあるよ。

そして、ジョンズ・ポプキンス健康安全センター（ＣＨＳ）主催のバイオ・ハザード・シミュレーション1〜4が開催された。２００１年6月のおもに米国政府高官やメディアを対象にした「ダーク・ウインター」、２００５年1月の世界各国政府高官と健康保健衛生機関を対象にした「アトランティック・ストーム」、２０１８年5月の世界の主要メディアに公開された「クレードX」、２０１９年10月の保健医療関連の国際機関、ワクチン関係財団と民間企業などを対象にした「イベント２０１」等だ。この直後、「イベント２０１」のシナリオと瓜ふたつの新型コロナウイルスＣＯＶＩＤ-19拡散とワクチン接種が現実に起こった。

特殊作戦コミュニティのメンバーシップにはロシアは入っていないが中国の特殊部隊は入っており優遇されていた。

その裏で米軍が中国軍を慮って、台湾軍からの留学生は制服の着用が認められていなかった。このように国際関係の仕組みを見るのにも役に立った。

面白かったのは、米国フロリダ州タンパで開催された「世界特殊部隊対テロ会議」に出席したときのことだ。

クロージング・セレモニーにチェイニー副大統領（当時）が参加するというニュースが1日前に流れた。と同時に、宿泊場所のホテルには、館内放送で「カーテンを完全に閉めて、絶対に開けるな」という放送が流れた。

カーテンを閉めながら外の様子を確認すると、会場から見える全てのビルの屋上にスナイパーが配置され、カーテンの閉まっていない部屋にはスコープが向いていた。食事を取るため部屋の外に出ると、昨日まではかわいい女の子だった掃除スタッフやルームサービス、レストランのサービスまで全て無線機とハンドガンを装着したサングラスのタフガイに入れ替わっていた。

後で聞くと、チェイニー副大統領がワシントンDCを出るときからタンパに着くまで270名以上のシークレットサービスががっちり警護しながら同行してきたのだそうだ。

米国の副大統領というのは、国内でもそれほど警備を固めないと出歩くことができないということだ。

セレモニー会場では、俺はチェイニー副大統領の真ん前の最前列に座った。その間をアメフトのディフェンスのようにシークレットサービスが固めてこちらを睨んでいる。彼らもかなりピリピリしている。

何しろ、世界中の特殊部隊指揮官などテロ対処関係者が300名ほど集まっており、国によっては、つい先日まではテロ組織のボスだった奴もいるのだからしょうがない。下手に、制服の内ポケットなどに手を入れたら射殺されそうな空気感だった。

チェイニー副大統領がお出ましになり、いきなり発した言葉が「今ここに参加している国の代表はラッキーだ。もし、ここに来ていなかったら、テロ国家かテロ支援国家と見なされていただろう」ときたもんだ。さすが、ネオコンの親分ともなると言うことが違う。国際政治の実態がよく分かる出来事だったよ。

こうした米国のグローバル・エリートの自己利益優先主義が世界をぼろぼろにし、遂には同じグローバリストでネオリベの親分バイデン大統領の自己過信による暴走によって、米国が分裂し、自滅しそうになっているということだな。

欧州や中国の歴史で繰り返される典型的大国の末路だ。

こんな奴らが自滅するのは自業自得だが、これに付き合って日本までもが終了してしまわないように、日本の戦闘者たる者はしっかり働かなくてはならないな。

28 自ら考える

今項では「情報」と「決心」について話をする。

日本人は、欧米人に比べると一般的に人柄が良く正直なので、見て、聞いて、読んだものを素直に信じる傾向が強いようだ。

さすがに最近は、こんな世の中だから、対人不信や社会を批判的に見る人も多くなったが、そんな人でさえ、大手メディアのような特定の情報ソースから発信される情報は鵜呑みにすることが多い。その情報ソースの信頼性を評価せずにだ。

また、何事にも無関心な人は、そもそも情報そのものに興味がない。例えば、駅の改札やチケット売り場近くの旅行案内には、観光関連の地域情報紙が置いてあるのだが、旅行や観光に関心のない人は、いつも通っている駅の構内にその情報紙が置いてあることにすら気が付かないだろう。

そんな人でも、家に帰ればテレビやSNSを暇潰しのように眺めては、特に批判するほどの情報を持ち合わせていないので、「ふ〜ん。そうなんだ」といった具合に、無意識のままテレビ報道等に洗脳されて毎日を暮らしているのではないだろうか。

他方、情報マニアのような人は、インターネットを通じてありとあらゆる情報ソースにアクセスして情報を取りまくり、物知り博士かウンチクの鬼のようになっているケースも多くなった。

このタイプの人は、膨大な情報に触れているので一定の情報評価はしているはずだ。ただ、現地まで行って現実・実態を直接見聞きしたり、それが真実かどうか自分で試してみることをしないのならば、所詮その情報の信頼度と正確度は眉唾としか言えない。

ここで情報の話をするにあたり、使用する言葉を整理しておくことにする。

情報は、自分自身で一定の分析評価をする前のものは、あくまで「情報資料（information）」であり、分析評価が終わって初めて「情報（intelligence）」として扱う。

情報資料は、先ずはその出どころ、つまり情報ソースの「信頼度の評価」が必要となる。この評価は、その情報ソースの過去の実績で評価することになる。

「信頼度」を仮に5段階評価として、「1」は「信頼度が低い」、「5」は「信頼度が高い」とすると、例えばＮＨＫやＣＮＮやＢＢＣのようなマスメディアは、最も大きな報道機関でありながらもグローバリストの大衆洗脳ツールとして確立されているものなので、信頼性の評価としては「2」～「4」になる。

つまり、「完全な嘘は言わないかもしれないが本当のことも言わない」といったところ。

自分が直接運用するエージェントや心から信頼できる熟知の人物は「信頼度5」だ。初めて見聞きするソースや特定のスポンサーの後ろ盾の組織や人物の情報は「信頼度1」といった感じだ。

ただし、「信頼度1」だからといって排除はしないのが重要。それはそれで、偽情報に秘められた意図を見抜くのに役に立つからだ。

次に、情報資料の「正確度の評価」が必要である。「正確度の評価」は、常に事実との関連性で評価する。事実が全く不明である段階では、正確度の答えを出してはいけない。先走って評価すると誤った情報になる。

より客観性を持って正確度を評価するのであれば、情報内容に基づいた分布図を構成してみるといい。

例えば、ワクチンは「安全」か「危険」か？　という指標と、ワクチンは「効果がある」か「効果がない」か？　の指標で4象限の図を作り、それぞれの情報資料の内容を分類してみるとよい。

ワクチンの安全性と有効性は、時間とともに事実確認が進むことで、正確度の高い情報ソースの母数が増え、真実が明らかになる。

これも「正確度」を仮に5段階評価とすれば、事実確認ができたものは「正確度が高い」「5」。全く裏づけのないものは「正確度が低い」「1」となる。

このやり方では、「信頼度5」で「正確度5」の情報ソースはとても有効な情報資料と評価され、「信頼度1」で「正確度1」の情報資料は無効な情報資料となる。

繰り返すが、無効な情報資料と評価されても、そこに多数の情報資料が集約するようであれば、それにはフェイクを信じ込ませようとする特定の意図があることを読み取らなくてはならない。

このようにして情報資料を分析してゆくと、徐々に信頼性も正確性も高い情報、つまり「正しい情報」が浮かび上がってくる。問題は、ここからである。

そもそも、「正しい情報」を何の目的で、どのように使うのかという問題だ。往々にして、情報マニアの人や勉強好きな人は、「正しい情報」が終着点となってしまうケースが多い。

分業体制の中で、情報収集・情報分析業務を専門としている人も、情報資料の情報化が仕事なので、客観性を持って分析することに努める。それは自己の主観を排除することになる。主観を排除するということは、自分では決心をしないということだ。

その情報を使う前提となる「意思」と「価値観」は、業務を命じた人の専有事項で、軍隊のような組織では、指揮官以外は決心をしない仕組みになっている。

さて、重要なのは、情報収集・情報分析のような情報業務と意思決定との関係である。

これには二つのタイプがある。一つは、とりあえず情報を収集・分析してから何をどうやるかを決めようとするタイプ。もう一つは、何をやるかを予め決めて、それを実現するために必要な情報を収集し分析するタイプだ。

前者のタイプから説明しよう。実は、陸上自衛隊にはこのタイプの指揮官が多い。根本原因は「戦う現場」を持たないことだと思うが、もう一つの原因は、教育の基本が幕僚業務を主体としていることにある。

幕僚業務とは、いわゆる指揮権を持たないスタッフの仕事だ。意思決定・命令権者は別にいて、専らそれを支えるための合理的・論理的見積もりと計画作成を所轄する人たちが、マニュアル化された思考手順に従って業務を進める。

その思考手順は、情況の特質を把握し、任務を分析し、その後、地域、情報、作戦の手順で見積もりを進めるといった具合だ。これ自体には問題はないのだが、こればっかりだと指揮官としての意思決定の訓練が欠落してしまう。いったい何時・何を・どうやって、指揮官が意思決定をするのかが大事だ。

情報活動は作戦を通じ継続的に行われるが、情報業務の最初の大きな集約点が情報見積もりとなる。ここで、敵の行動に関する見積もりの結論が要求されるからだ。

しかし、この時点では敵の実態的行動は確認できず、一般的な敵の編成装備や戦術的合理性、そして地誌・気象的可能性を頼りに敵の行動を予測し結論することになる。必然、合理性が優先し、陳腐な見積もりにならざるを得ない。

ここまでのプロセスにおいて、指揮官の決心がない場合、その陳腐な情報見積もりを基に作戦見積もりをすることになる。そして、その作戦見積もりの結果がそのまま指揮官の決心になることが多い。

これは、幕僚の見積もり通りに計画を作成し、その計画に基づいて作戦を遂行するという、指揮官の意思決定がスタッフの合理的分析に飲み込まれてしまった在り来たりの作戦行動となる。

そのようにして作成された作戦は、往々にして、現実の情報を無視した計画墨守の作戦となり、非合理的奇襲や状況の変化に対応できずに壊滅的な結末を迎える。

いわゆる「お役所仕事」と言われるのもこれである。現実や人々の実態状況を見ずに、法律通りに仕事をするので社会はいつまで経っても良くならない。

後者の場合は、かなり違ってくる。指揮官が、上級指揮官から与えられた命令に基づき、任務達成のための基本方針を先行的に決心すれば、スタッフたる幕僚は、指揮官がやろうと考えていることを具体化するための見積もりを行う。

当然ながら情報活動は、敵がまだ行動を起こしていなくとも、指揮官がやりたいことを実現するための情報収集・情報分析に集中できる。これだけで、エネルギーの無駄が相当解消できるし、情報活動の段階で主導性を発揮できる。

一般的なことに言い換えれば、やたらと情報を収集・分析しても、予め決心が定まっていないと、情報収集・情報分析にかけたこと全てが無駄になる。

先ずやるべきことは、自分が何をするかの意思決定である。

今の社会が良くないと分かっていても、では、どういう社会にすればいいのかのヴィジョンを確立している人と、ただ現状に不平不満を持っている人では、情報収集の仕方から違ってくる。

後者の人が、いろいろ情報を収集して「何故、現代の社会が良くないか」を知り得たとしても、では「どうしたらいいか（決心）」が分からない。

前者の場合は、「どうしたらいいか（決心）」から始まっているので、そのために必要な情報を収集し「決心」を実行していける。

自ら考えるという習慣が完全に欠落していると、間違いだらけの結果に至る。

昔の日本の戦闘者は、自ら情報を収集し分析していた。だからこそ、幕末の改革は、下級武士から起こった。

そして、自分の意思と価値観が具現できない場合、潔く脱藩し、自らの価値観を実現できる道を選んだ。それが日本の戦闘者の精神である。

自分のやるべきことがよく分からないから、とりあえず情報を収集しようというようなショボい魂胆ではない。奴隷制度の延長にある欧米式の軍隊組織の真似をしていると、兵隊は自ら考え自分で決心することをしなくなる。自分の本心や良心を殺して命令に従うのは奴隷だ。自分の良心や真心に従って、自分が何のために生きるのかを早々に確立し決断できるかどうかだ。

死生観とは、まどろっこしい哲学ではない。自分の人生の最後をどうしたいかが重要なのだ。現代は、ただ長生きしたいがために、点滴打ちまくってベッドに拘束され植物人間化して、誰とも会えないまま何年も生き永らえるような世の中になってしまった。

そんなみっともない生き方でいいのか？　死生観とは専らどう生きるかを考えることだよ。かっこよく自分の人生の幕を下ろしたくはないか。自分が考える一番かっこいい生き様を最後の最後に示すのが日本の戦闘者だろ。そのための決心をして、必要な情報を自分で探るんだ。自分の決心通りの人生を目指し毎日力を振り絞る！　そして理想とする人生の締め括りを自分でつくるんだ！　実際にそうなるかどうかを心配する必要はない！　唯々それを目指して生きるだけ！　死ぬまで俺はそう生きたいと念じているよ。それが俺の死生観だ。

29 クリミア・モスクワ訪問①

２０２３年9月12日から26日まで、俺はロシアのクリミアとモスクワに行ってきたので、今項から3回に分けて、そのことについて話をするよ。

今の日本では、ロシアに行ってきたというだけで大騒ぎで、ましてやクリミアに行ってきたと言うと、「どうやって行ったんですか？」「よく無事に戻れましたね？」なんていう質問が来る。心根の腐った奴に至っては「ロシアから何かもらったのか」などと自分の無知を省みず無礼なことを言うから本当に困ったもんだ。

クリミアには、誰でも普通に観光で行けるよ。

日本の外務省は渡航規制をかけたり、税関もロシアへ行くというだけで嫌がらせをしたりしているが、ロシア側は日本人に対して一切の規制もかけてないし、親切に対応してくれている。前項で「情報」について話した通り、真実を知りたければ、実際に自分の目で見て判断しなくてはだめだ。

実際に見聞きできないのであれば、少なくとも対立する両者の意見と根拠としている情報の信頼性と正確性を自分で調べるのが筋だろ。

今の日本では、強烈な情報統制がかかっており、政府もメディアも英米そしてウクライナ側の情報しか流さないから、日本国民は正しい情勢の見方ができない。そうした偏向情報だからこそ、俺が現地で見聞きしてきた情報と比べて考えてもらいたい。

今回、ロシアを訪問するに至った経緯は、ロシアにいる俺の武道の弟子たちからの要請があったからだ。俺が明治神宮武道場至誠館の館長をしていた頃、欧米諸国だけでなく、ロシアにおいても日本武道に関心を持つ道場に声をかけ、「至誠館武道共同体」という団体をつくった。

少し遅れて、モスクワ大学にも日本武道クラブをつくった。そして、10年間毎年、欧米とロシアに出向いて指導を続けていた。

しかし、5年前に「熊野飛鳥むすびの里」を創設するため、至誠館館長を辞し、その後、コロナ騒動もあったため海外へは全く行かなくなった。ようやく、日本もコロナ騒動が落ち着いてきたところで、ロシアの弟子たちから「是非、またロシアに来て武道を指導してください」との要請を受け、半年間考えた末、引き受けることとした。

今回の武道講習会の開催地はモスクワに決まった。すると、今回モスクワの講習会には参加できないというクリミアで武道場を運営するアンドレイ（愛称サーシャ）さんから、「是非クリミアを案内したいから観光に来てくれ」との誘いがあった。

サーシャさんは、オデッサ生まれ、ドンバス大学で地質工学の博士号を取ったウクライナ人である。14年前から、彼と彼の奥さんのライフワークであるクリミア南部にある古代山地の地質調査のため、ゲネラリスコエという小さな村に自分で建てたという家に家族四人で暮らしている。

２０２２年末にこの誘いを受けたとき、俺としては、この時期にクリミアに行けるのは嬉しかった。日本の報道ぶりがでたらめだということは分かっていても、やはり、実際にロシアを見てみなくては確信を持てない。

特にクリミアは、まさにウクライナが奪還しようとしているなどという報道が日本で流れているわけだから、なおさら実態を自分の目で確認したい。

とはいっても、クリミア大橋が爆破されたという報道が直前（２０２２年10月）にあったばかりだったので、ズームでの打ち合わせでサーシャさんに「今、クリミアへは観光で行けるのか？」と質問した。

すると「何のことですか？　クリミアは観光で賑わっていますよ。特に夏は観光客で大変混むので避けたほうがいいです」との答えだった。

そこで俺が、「クリミア大橋がウクライナの攻撃を受けて破壊されたというニュースを聞いたが？」と問い直すと、「あれはウクライナのナチストの悪質ないたずらですね。全く問題はありません。鉄道は通常通りクリミア橋を通って運行してますし、車でも、ドンバス経由で来れば大丈夫です」とのこと。

「では、よろしく」と頼むと、「はい。楽しみにお待ちしてます」とのやり取りがあって、クリミア行きが決定した。日本のニュースだけ見ていたから狐につままれたようなやり取りだった。その後、数回のズームでの打ち合わせでも、「先生、観光は海がいいですか山がいいですか？　歴史遺跡がいいですか？　自然がいいですか？」などとにかく、「あれも見せたい。1週間滞在してくれればクリミアを1周して案内できますよ」などとにかく、「あれも見せたい。ここにも行ってもらいたい」と観光メニューの組み立てに一所懸命の様子だった。そうした彼の対応からは、紛争の「ふ」の字も窺えなかった。

俺としては、折角だから実際の紛争の場面に遭遇できたらいいなと期待していたので、やや拍子抜けだった。

こんな感じのやり取りがあって、こちらも8月末に稲刈りがあるので、サーシャさんの言う通り観光客が多い夏は避けて9月中旬〜下旬のロシア訪問となった。ロシア訪問の全般日程は次の通りであった

12日　関空〜ドバイ
13日　ドバイ〜モスクワ
14日　モスクワ〜（鉄道）
15日　〜（クリミア）シンフェロポリ〜（車）ゲネラリスコエ

16日　ヤルタ周辺観光
17日　スダク周辺観光
18日　クリミア山地観光
19日　ゲネラリスコエ～シンフェロポリ～（鉄道）
20日　～モスクワ
21日　モスクワ～モスクワ郊外（トロピカル・パーク）
22日　武道講習会
23日　武道講習会
24日　武道講習会
25日　モスクワ～ドバイ
26日　ドバイ～関空

日本が一方的にかけたロシアに対する経済制裁で、日本とロシアの直行便がなくなったため、ドバイ経由の航路となった。コロナ禍で値上がった航空運賃がそ

クリミア山地での散策

のままで、さらには、円の値打ちが下がってしまい、5年前まではルーブル（ロシアの通貨）より円が強かったはずなのに、今の円はルーブルの約半値しかない。

結局、5年前に比べると3倍以上の航空運賃、時間も2倍かけてのロシア行きとなった。モスクワに着いた翌日、鉄道でクリミアに向かう。ロシアだけでなくウクライナ上空も、ロシア空軍が完全に制空権を握り空域を支配してはいるが、空域統制がかかっているので民間航空機は飛行できず、モスクワ～シンフェロポリ（クリミアの首都）間を鉄道で片道1800km、36時間の旅となった。

俺を含め同行の日本人四人は、誰もロシア語が話せないので、招待してくれた武道団体の代表スラブさんとモスクワの道場長ヴァシリーさんがクリミアまで同行してくれた。二人は、小学校の先生だが、我々のために休暇を取って付き合ってくれた。おまけに長い寝台列車の旅に備え、酒とつまみをどっさり買い込んできてくれた。

ロシアの列車の旅はのんびりしている。途中の停車時間は40分のところもあり、ゆっくりと駅近のスーパーに酒と食い物の調達に行ける。おかげで、時間を持て余すこともなく、ビールを飲みながらのんびりと列車の旅ができた。

同じ列車には、軍人も何人か乗っていた。直接は質問できないので、同行のヴァシリーさんに「彼はどういう理由でこの列車に乗っているのか？」と聞いてもらうと、「クリミアに勤務しているが、休暇で家に帰っていた」とのこと。軍人の彼は、同じ車両に乗っていた子供たちと列車の通路でサッカーをして時間を潰していた。全く緊張感は感じ取れなかった。

そもそもロシア人は愛国心が強く、今回のウクライナとの紛争では入隊志願者が殺到したため、希望してもなかなか入隊できない状況だという。

また、一般のロシア人はあまり政治に関心を持たないのだが、5年前はどちらかというとプーチンに批判的だった武道の弟子の連中でさえ、今は「彼はよくやっている」とプーチン大統領を支持していた。全てが日本の報道ぶりとは全く逆である。

ロシア南部の地平線まで広がる広大な農地を見ながら、我々の列車はいよいよクリミア大橋を渡り始めた。とても長い橋なので、列車で渡るのに20分近くかかる。鉄道の橋の横に自動車の橋が並んで走っているので、昨年（2022年）、ウクライナの攻撃を受け爆破された個所が確認できたが、完全に修復が終わり、橋は通常通り車が走っていた。

クリミア大橋に近づいたあたりから、GPSが全く効かなくなった。ミサイルやドローンの攻撃に対して電子戦のバリアーを張っているからだろう。

ロシアの対空電子戦システムは強固で、例えば、AWACS（Airborne Warning and Control System＝早期警戒管制機）の電子妨害を目的としているクラスハ（移動式地上ベースの対空電子戦システム）2は、最大250㎞の範囲でレーダー誘導ミサイルなど、ほかの空中飛翔体のターゲッティングの妨害も可能である。

クラスハ4は、広帯域多機能妨害局で、クラスハ2と同様にＡＷＡＣＳや他の空中レーダーシステムに対抗するほか、低軌道衛星の妨害に有効な範囲を持ち、標的の無線電子機器に永続的な障害を与えられる。

地上ベースのレーダーもまた、クラスハ4の実行可能な標的である。このような電子戦システムに一度妨害されたミサイルやドローンは、本来の目標から離れた偽の標的に誤誘導され、もはや脅威ではなくなる。

モスクワのタクシー運電手も「最近はナビが使えなくて困る」と言っていたが、ウクライナがドローンの標的にする大都市や重要拠点は、全てこの対空電子戦システムによって守られている。

30 クリミア・モスクワ訪問②

クリミアの首都シンフェロポリに夕方到着した我々を、サーシャさんが出迎えてくれた。駅からは、車で約2時間走ってサーシャさんの家に着いた。家では、奥さんと子供二人が出迎えてくれて、早速夕ご飯をご馳走になった。

お嬢さんのカーシャさんは、新体操のクリミア代表で、将来日本に行くことを楽しみにしていた。弟のドミトリー君は、お父さんから合気道を習い、日本の武道が大好きだそうだ。

翌日、最初の観光旅行は、こちらのリクエストでヤルタに行くこととなった。サーシャさんの家からは、普通は車で約2時間の道のりだそうだが、観光客の車の渋滞で3時間以上かかってしまった。到着しても、駐車スペースがないくらいの賑わいぶりであった。

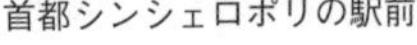

首都シンシェロポリの駅前

ヤルタは、第二次世界大戦後の世界の分割について、米国の大統領ルーズベルト、英国の首相チャーチル、ソ連の書記長スターリンの3者が八日間に亘り話し合った場所であり、宮殿が海岸丘に立ち並ぶ観光地だ。話は横道にそれるが、少しこのヤルタ会談について説明する。

1945年2月4~11日、皇帝ニコライ2世が1911年に離宮としてヤルタに建設したリヴァディア宮殿において、戦後の世界の分割管理について話し合いがなされたわけだが、英首相チャーチルは「これほど多くの人間の運命が、これほど僅かな人間によって決定されたためしはない」としている。国民国家を排し、世界統一政府創設を目指す新世界秩序(New World Order)の必要性を強く主張していたチャーチルにとっては、感慨深いものがあったのだろう。

また、米大統領ルーズベルトは「分割は簡単だ。極東は中国に、太平洋は米国に、アフリカと欧州はソ連と英国に分配される」と考えていた。そして、今まさに紛争になっているウクライナ(当時は、ウクライナという国はないので、ロシアとポーランドの一部の地域)については、「ポーランドの半分がロシアになることは問題ない。何しろ東ポーランド(現在のウクライナ)の住民はロシア人になることを望んでいるから」と言っている。

つまり、当時、ドイツに占領されたポーランド領土の東をロシアに割譲し、ドイツの領土のオデール川より東をポーランドに併合するというのがルーズベルトの考えであった(実際にそうなった)。

この会談を要請したチャーチルとルーズベルトの思惑は、次のようなものである。

チャーチルは、第一次世界大戦後、衰退していく英国が、それまで世界中で略奪した植民地を自国の国力では防衛できなくなることを見据え、新たな世界ルールを確立して英国の権益を保全しようと考えていた。そのため、大西洋憲章に盛り込もうとしていた〈関係国の国民の意思に反して領土を変更しないこと〉を保障するための組織として、新たに国際連合をつくることで実効性を確保しようと考えていた。

また、ルーズベルトは、国際連合の創設とロシアに対日参戦させることが主要な目的であった。そして、実際に彼らの思惑通りの合意内容が第二次世界大戦後の世界の分割体制、いわゆる「ヤルタ体制」として合意された。その主要なところは、以下の通りである。

◆連合国会議（国際連合）の創設
◆ヨーロッパの管理
◆ドイツの分割管理
◆ポーランドの分割管理
◆ユーゴスラビアの内政
◆南東ヨーロッパの管理

◆イランの取り扱い
◆戦後の世界秩序について
◆ソ連の対日参戦と日本の分割管理
等々

この中でイランの問題も議論されたように、英国（後には米国）の中東管理において、キーとなるのがイランの存在で、そのための対抗拠点として英国の謀略によりイスラエルが建国されるわけであり、今のパレスチナ・イスラエル問題は、この英米による中東支配の目論見が根本原因である。

日本に最も関係するのが、ソ連の対日参戦と日本の分割管理の問題だ。このことは先にも述べたが、戦後日本の安全保障環境を理解するためにはとても大事なことなので、もう一度詳しく説明をする。

ルーズベルトは、日本の真珠湾奇襲攻撃があると同時に、ソ連のスターリンに対日宣戦布告を要請していた。これは、ルーズベルトが日本の真珠湾攻撃を事前に承知していたからできたことだ。しかし、スターリンは、その要請をずっと拒否しており、ヤルタ会談においても、「ソ連国民は、ソ連の生存を危機に陥れたドイツに対する戦争ははっきりと理解しているが、少なくとも最近何も紛争を起こさなかった日本に対して、何故戦争を始めるのか理解できないであろう」「日ソ間には中立友好条約がある」として対日参戦には否定的であった。

しかし、ルーズベルトから「(対日参戦すれば) ソ連は樺太、ハルピン、大連、旅順、千島列島を受け取るであろう。また、温暖な海への出入路、満洲鉄道が与えられるであろう」と熱烈なる要請を受け、チャーチルからは「ドイツが対ソ宣戦布告をし、実際にソ連領土を侵略したことにより、ドイツの同盟国たる日本は既に中立条約を破っている」と説得された。

最終的には、スターリンが米英代表に「約束を文書化するならば合意する」として、米英露首脳3者のサインが記された合意文書をもって、対日参戦に踏み切る。

その調印文書には、次のように記されている。

◆ドイツ降伏2~3ヶ月後、ソ連が連合国側に組して対日参戦する
◆1904年に日本の背信的攻撃 (日露戦争) によって侵害されたロシアの旧権利を回復する
◆樺太および千島列島はソビエト連邦に割譲する
◆ソビエト連邦は、中国を日本の軛から解放するため軍隊によって支援すべく、ソ連と中国(蔣介石の国民党政府) との友好同盟条約を締結する用意 (米国が仲介) があることを表明する

そして、ソ連の対日軍事作戦には、以下のような米国の軍事支援が約束され実施された。

◆米空軍基地をコムソモリスク、ニコライエフスク、アムール川流域に開設し、対空対地攻撃支援

＊「クレムリンの洋服屋による仕立ての制服の着用（米軍人がソ連軍人になりすますこと）」が条件

◆海上輸送上陸侵攻作戦「プロジェクト・フラ」支援。米海軍艦艇無償貸与（掃海艇55隻、上陸用舟艇30隻、護衛艦28隻等、計144隻）、アラスカ州コールドベイ基地において、ソ連兵約1万2000人に艦艇・レーダーの習熟訓練、米軍舟艇で上陸侵攻し、千島列島を占領

つまり、満洲および千島列島に対するソ連の軍事侵攻は、実際には米軍の提案による、米ソ連合軍による侵略であった。それが、現在の北方4島問題に繋がってくる。ロシアが歯舞群島と色丹島2島返還を提案する理由は、この2島は、日本が9月2日にミズーリ号で終戦協定に署名をした後に占有したので、ヤルタ協定に従い返還するというもの。

他方日本側は、あくまで4島返還でなくてはならないとしているが、4島返還をロシアが受

諾すれば、そこに米軍基地が建てられるという日米地位協定上の問題だけでなく、戦後の世界の国境線を決めたヤルタ体制全体の見直しにまで波及する恐れがあるということだな。

話を戻す。このヤルタのすぐ隣にあるセバストポリというロシア黒海艦隊の管理する敷地に、9月22日にウクライナからのミサイル攻撃があったことが、ロシアのテレビで放映されたので、モスクワからサーシャさんに「大丈夫か？」と連絡をした。すると、「ただの空き地にミサイルが落ちただけです。全く問題ありません」とのことだった。「そんなことより、私（サーシャさん）の知り合いの武道家が、来年はセバストポリで武道講習会を開催してくれないかと言っています」、とのことだった。

日本に帰ってきて日本の報道を見てびっくりし

ヤルタ会談が行われたリヴァディア宮殿にて

たのは、「この攻撃でロシア黒海艦隊の司令官が死亡した！」とか、「死んだはずの司令官が翌日の会議に出ている！　ロシアの陰謀か？」といった内容だ。こいつら、嘘をつくにもほどがあるだろ。自分で勝手に殺したことにしといて、本人がテレビに出たら陰謀だ？　そもそも、ロシアにはテレビが40局以上あって、ニュース専門のチャンネルでは、毎日、ロシア軍とウクライナ軍のリアルタイムの状況が報道され、このようなミサイルやドローン攻撃もマップ上で分かりやすく表示されている。テレビ以外でも、日本版スプートニクで4～5日遅れではあるが戦況が細かく報道されている。

これほど分かりやすい報道を、何故日本のメディアは紹介しないのか。しかも、如何にもウクライナ軍が優勢なような報道ばかりだが、軍事のことが少しでも解っていれば、ウクライナ軍がロシア軍に勝てるはずがないことぐらい常識だろ。

最初っから、陸上兵員で5倍、戦車数で6倍、戦闘ヘリ数で17倍、戦闘機数で16倍ロシア軍が上回っているんだぜ。

今では、ウクライナは国民の半分以上が国外に逃げてしまい、子供と年寄りまでが徴兵され、勝ち目のない前線に引き出され死んでいるんだ。早くゼレンスキーの暴挙を止めないとウクライナ人がみんな死んでしまうぞ。

そもそも、ウクライナがロシアを攻撃して勝てるのなら、ウクライナより強い日本は、日米同盟などなくともロシアにも中国にも勝てることになるよな。言っていることが矛盾を超えて馬鹿げている。

また、ロシアは報道統制が強烈で、国民は何も言えないというような印象を与えているが、それを言うなら日本のことだな。

例えば、俺がロシア訪問している間に国連総会が開催されていた。ロシアのテレビでは、毎日その総会の議論がほぼ全て放映された。もちろん、ゼレンスキーのスピーチも全部放映されていた。つまり、ロシアにいれば、世界のいろいろな論調が普通にテレビを通じて一次情報で確認できる。

では、日本ではどうか。国連総会で何が議論されていたのかを国民は知っていただろうか。ロシアのラブロフ外相のスピーチでは聴取者が満席だったが、ゼレンスキーでは半分以下、岸田総理に至ってはほぼ空席。このような世界の趨勢(すうせい)を日本人はちゃんと認識できているのか。できていないとすれば何故なのか。おそらく、世界有数の言論統制がなされているわけだ。

ロシアのことが知りたければ、ロシアに行って見てきたらいいじゃないか。一般の観光客が行けるのだから、報道に責任を持つ者は、当然ロシアに行って事実を確認して報道するべきだろ。それをしないということは、はなから事実を国民に伝えようとはしていないということだろ。

翌日は、クリミア南東部のビーチに連れて行ってくれた。クリミアはワインの産地で、特にこの地域のアブラウ・ドゥルソの工場で生産されるスパークリング・ワインが有名だそうだ。そこで、2時間ほど工場の見学と試飲をした。その後、「ニコライ皇帝の秘密のビーチ」と呼ばれる観光リゾート地にボートに乗って上陸、2時間ほど海水浴を楽しんだ。

このビーチだけでなく、黒海沿岸の各ビーチでは、海岸でイルカと遊べるので人気だ。子供から年寄りまで、多くの人がのんびりくつろいでいた。

日本でのクリミアの報道を見ていたら、全く信じられない光景だ。豊かで平和でくつろげるリゾート地、これが実際のクリミアだよ。

滞在間、サーシャさんに、今のウクライナについて尋ねてみると、即座に「ナチズム！」と怒り

黒海で泳ぐ

を込めた返事が返ってきた。

彼自身は、ウクライナの政府転覆以前にクリミアに移住したので安全だったが、ウクライナの親族や知人は、現政府による虐待やナチ組織の攻撃を受け、ほとんどがドンバスやロシアに避難したそうである。

何しろ、ロシア語を話しただけで捕まるというのだから異常だ。ドンバスに残った人たちには、今でも欧米諸国がウクライナに支援した武器を使った砲撃やミサイル攻撃があるそうで、「こんなことをして何を考えているんだ！　一体何をしたいんだ！」と心配し、ウクライナが一刻も早く、元通りの正常な国になることを強く望んでいた。

31　クリミア・モスクワ訪問③

５日間のクリミア滞在を終え、首都シンフェロポリから鉄道でモスクワに戻ってきたが、実は、そのシンフェロポリに対しても、ウクライナのドローン攻撃がなされていた。テレビでも、我々の出発前々日（9月17日）も前日（18日）も攻撃があり、全ての攻撃がロシア軍の電子戦システムにより排除されたことが報道されていた。

実際に、シンフェロポリの街に着くと、物凄い車の渋滞と買い物客で賑わっていた。攻撃があったということが全く嘘のようだったよ。しかも、滞在間、ロシア軍の部隊を見かけたのはクリミア大橋の両端だけで、ほかには部隊の姿は見当たらなかった。外国人の立ち入り禁止地域なども全く見当たらない。日本人が考えているような監視国家ロシアは虚構である。

モスクワに戻って1泊し、武道講習会が始まるまでの半日、クレムリン周辺をぶらついた。バーガーキングも、ケンタッキーフライドチキンも、シティバンクまでが普通に営業していた。5年前と比べると、街がきれいになり活気があった。走っている車は新車のベンツやＢＭＷ、日本車だとレクサス、トヨタ・カムリ、トヨタ・ランドクルーザー等が目に着いた。商店の物資は豊かで物価が安い。円安の相場に換算しても、ガソリンが１ℓ１００円を切っているし、ビールは１００円しない。総じて日本の物価の三分の一から四分の一程度だ。案の定、中国人が爆買いしていた。
聞いてみると、普通のロシア国民なら、ほとんどがダーチャという菜園やサウナ・プール等が付いている別邸を持っていて、これは国民の食料自給率を上げるための国策だという。明らかに、一般の日本人より豊かな生活ぶりである。

モスクワ川沿いに歩いてクレムリン前の赤の広場を通って、「無名戦士の慰霊の火」を守る儀仗兵（ぎじょうへい）の交代儀式を見学した。やはり、国のために戦って散った英霊を現役の軍人をちゃんと慰霊し、国防精神を継承している姿は美しいもんだ。自衛官が制服を着て靖國神社に参拝に行くと、情報保全隊がかぎつけ通報し、上司から注意される日本じゃどうにもならん。

地下鉄の車両は、各車両にテレビモニターが付いているが、放映内容は、日本のような下品な広告ではなく、車両内のマナーや老人や困っている人は助けようという内容の映像が流れていた。日常的に倫理道徳を国民に呼びかけている国は偉いよ。

ロシアの地下鉄の駅は、とても深いところにあり、各駅とも美術館のようなきれいな内装が施されている。これは、核戦争があった場合、一般市民の核シェルターとして使えるように作られているそうだ。

では、米国や日本はどうだろうか？　核戦争のリスクは米国も米国の核が存在する日本も同じである。米国政府は、一般国民を核攻撃から守るための核シェルターを作っているのか？

政府高官とお金持ちだけが避難できるようになっているのではないか？　日本はどうだ？　ほぼゼロ。戦争はあってはいけません。核反対。以上終わり。

しかし、現状は、米国のグローバリストがウクライナを唆して紛争を引き起こし、ロシアに対して無駄とは知りながら紛争を継続し、より高額な武器を売って金儲けを企んでいるわけだが、それが原因で核戦争へのエスカレーションの可能性が現実味を帯びてきている。

そのような状況を考えて、国民の防護措置をちゃんと取っているロシアと、エリートだけが生き残ることを考えている米国と、何も考えず対処もしていない日本と、どの国の政府が真っ当なのか。よく考えてみてくれ。

武道講習会には、ロシア全土から俺が教えた道場長や指導者たちが集まってくれた。講習会の開会儀式に備え、ロシア人が神道の祭壇を作ってくれた。これまでの武道講習会でしてきたように、神道祭祀で講習会を開始する。彼らの代表スラブさんが玉串を奉り、全員が心を合わせて祈る。

俺は、稽古の初めと終わりは、必ず日本の精神文化について話をする。その要点は、日本人の理想社会「八紘為宇」について、人倫道徳として「世のため人のために力を尽くす」ということについて、そして武士としての「死生観」についてである。

家族のような社会の創造を目指す「八紘為宇」にロシア人は「それは素晴らしい社会だ」と

5年ぶりのロシアで武道講習会での祓太刀

開会式でロシア人参加者代表が神道式の玉串奉納

賛同してくれるが、欧米人は日本の父権家族のような社会を権威主義として否定する。

ロシア人は「世のため人のため」に生きる利他の道徳観は正しい考え方だと言うが、欧米人は「自分のため」に考えることが重要だと言う。

「死生観」に至っては、特攻を高貴な精神であり尊い行為と褒め称えるロシア人に対し、欧米人は野蛮で狂ってると言う。

日本人の伝統的精神文化を大切にしている人なら、世界の誰が同胞で、誰が敵かがよく分かるよ。まあ、最近は、日本人でも敵か味方か区別が必要になっているがな。

大東亜戦争で英米と戦っていた時の日本人は、英米が自分たちの価値観を他国に強要し、自分たちの利益のためにほかの国を支配管理することに反対していた。そのため欧米諸国に植民地化されたアジア諸国の解放を目指して戦った。

当時の日本が目指した大東亜の秩序は「各国の政体は各国の択ぶところを尊重し、差別や干渉をしない地域的共存圏を確立するものでなくてはならない」と謳っていた。

現在、プーチン大統領は、「(米国)一極集中のモデルに代わり、公平と対等性の基本的原則に基づき、地域別経済圏と地域別通貨を確立し、それぞれの国と民族の伝統・文化・歴史を尊重した主権的な発展の権利に基づく新しい世界秩序を構築する」ことを目指している。

これは、当時の日本と同じように、それぞれの国は自国の伝統と文化価値に従って存在すべ

体術稽古で技をかける筆者

剣術稽古で技をかける筆者

きで、特定の国が世界を管理するべきでないと言っているわけだ。

現在、米国が正しくてロシアが悪いという奴は、大東亜戦争は日本が悪くて米国が正しいと言っている奴と重なる。俺から見れば、そいつらは米国の管理下に置かれた戦後の日本を守ろうとし、本来の日本人の価値観を否定する反日日本人でしかない。

米国の顔色を窺って、一方的にロシアに制裁を科して、ロシアからの輸入資源が手に入らなくなり自分で自分の首を絞めているのが今の日本だ。

シリア一つとっても、人の国の領土に軍隊を送って勝手に油田を占領し、石油メジャーにその利権を与えて利益を貪(むさぼ)っている米国には何も言えない。さらに、米国の政府転覆(スペシャル・オペレーション)でつくり上げられ、自国民(ロシア系ウクライナ人)を8年以上に亘って虐殺してきた現ウクライナ政府を支援しておいて、ロシアが、ロシア系ウクライナ人の居住地域であるクリミアやドンバスを保護するため自国領に組み入れたことだけを批判するのは、どう考えても公平な見方ではないだろ。非難するならどっちも非難するべきだな。

かつて、勝海舟はこんなことを言ってたよ。「世界の政治は一国に左右されるものであってはならない。世界の事情をよく知って大道を悟るならば、一国を指して恐れはばかる必要はない。また、先方のことも知らずに外国のことを蔑視するのは公道公言とは言えない。どの国に対しても同じように道理を正すこと。これが我が皇国の見識である」とな。

よその国のことをとやかく言う前に、立派な日本をつくろうぜ。どこの国の人が見てもいい国だと思えるような日本国家を目指すんだよ。

そのためには、先ずは自分が良い日本人に成ることだ。次に良い家をつくることだ。良い家ができたら良い集落だ。あとは天皇陛下が日本をまとめてくれるから、それを手伝えばいい。そう思って田畑を耕して働く一日は、日本人としてとっても幸せな一日だよ。

ロシアでの武道講習会を終えての記念写真

おわりに

本文中で書いたように、ＮＨＫ－Ｅテレの『天才てれびくん』という子供向け番組で、「グレート・リセット」という言葉を説明もなく正しいことのように取り上げ、同時に、それに抵抗する人たちを「ゼンジダイ」とか「イマサラン」という名前の悪者に仕立てて子供たちを洗脳している。

これは、子供だけでなく大人も同じだ。岸田首相まで、何の疑いもなく「グレート・リセット」を推進することが当たり前のようにして日本の針路を決めている。

ところで、グレート・リセットって何だい。何をリセットするんだ。それは、今まで人類が築き上げた歴史を全て革命的にリセットするということだよ。共産主義の歴史否定のもっともっとひどいやつだ。俺たちの祖先が汗水たらし命まで犠牲にして子孫のために残してくれたものの全部をドブに捨てろと言ってんだ。

今（２０２４年２月）、ガザでパレスチナの民族浄化を試みているイスラエルのネタニヤフ首相が「アメリカ（マッカーサー）が日本でしたような文化革命をする」と言っているように、英米の対日戦争とその後の日本占領は、日本民族の浄化（非日本化）が目的だった。

だから、既に現代の日本人は祖父母との関わりは失いつつあり、親との関係さえ希薄化してきている。共産主義国家以上に、日本は自分たちの歴史を否定するような国民になってしまったんだ。

グローバル化した世界のルールづくりは、歴史的断絶が必要なんだ。それぞれの国や民族には独自の歴史があり、そこから生まれた文化と秩序がある。それを破壊しなくては、グローバル秩序は形成できない。だから奴らは、世界中の国を占領し民族を浄化して歴史との断絶、伝統文化の否定を強要するんだ。そんな罠(わな)にまんまと引っかかった頭の悪い有識者が、奴らの手下になって国を亡ぼすわけだ。

過去の歴史との縁を切るということは、未来との縁も切るということだ。父母や祖先、地域や日本の先人たちのおかげで自分があると思えば、自分も子供や子孫、未来の人たちのために何かをなさなくてはならないと思う。それがなければ、自分は過去とも未来とも関わりがないということになり、今だけ金だけ自分だ

毎年100人以上が集まる熊野飛鳥むすびの里の桜花見祭

けになるか、何もする気がない状態に陥る。これじゃあ、どちらに転んでもグローバリストの思い通りになっちまう。

なんでそんなに自分を卑下しみっともない存在にしてしまうんだい。自分は宇宙の一部であり、地球を構成し、日本そのものだと思え。そうすれば、そういう生き方ができるよ。

外国の友人との関係も大事だが、それを親子の関係に優先することはない。親への孝行と子供への愛情があっての他者との繋がりだ。家があっての集落であり、集落があっての市町村であり、市町村があっての日本、そして日本があっての国際関係だ。グローバル化のためにこれら全てを犠牲にしたら、自分まで残らなくなる。

俺らのような平民は世界中の人々との関わりなど必要としない。それが必要なのは、世界中の人から富を奪い取ろうとしている奴らだけだ。

残念ながら、現在の日本はグレート・リセットまっしぐらで、自ら日本人であることを捨てようとしている。こんな時代だから、ここに書いた読者に対する呼びかけは俺に対する呼びかけでもある。正しいかどうか、うまくいくかどうかはやってみないとわからない。とにかく日本を失ってはならない!

今年（2024年）の5月には、WHOが提言している「パンデミック条約」と「国際保健規則IHR改正」の決議が行われるが、日本政府はこれに賛同する姿勢を示している。

これが決議されれば、ＷＨＯが独断でパンデミックの宣言を発令できることになり、加盟国に対し拘束力を持った命令ができることになる。そうなれば、政府は法的強制力を発動し国民の人権・尊厳・自由を制約してでも、ＷＨＯの命令に従うことが義務化される。

具体的に提示されている内容には、ワクチン接種の義務化、ロックダウンとそれに伴う国民の監視・治療・追跡・隔離の義務化、ＳＮＳ等情報の検閲と言論統制等が謳われており、これは事実上の国家主権の喪失であり民主主義の崩壊である。岸田内閣は、これを推し進めるべく、緊急事態条項等を法的に整備し、ＷＨＯの命令を実行できるように準備しようとしているわけだ。

また、２０２０年11月、カーネギー財団（ロックフェラー財団の設立発起人ダニエル・ギルマンが設立）がグレート・リセットの手段として、金融システムに対する世界的サイバー攻撃に備えた安全保障対策を提言した。正式名称は「金融システムをより良く守るための国際戦略」というものだ。

これは、サイバー攻撃対策を理由に世界の金融・経済全てをグローバル・エリートの命令で、国家・中央銀行が統制管理できるようにするというものだ。これによって、銀行等にある全ての個人・法人の資産は、銀行が何時でも制限・停止できることになる。この下準備として、タンス預金のような個人の手持ち資産や法人の不透明な収益を廃絶するように新札を発行したり、インボイス制度を施行しているということだな。

そうしてとどめに、サイバー攻撃対処と称して、現行の金融システムを一気に廃止し、「中央銀行デジタル通貨（ＣＢＤＣ）」と「電子認証システム」への統合を確立し、全ての個人・法人のマネーをグローバル・エリートが占有できるようにして、通貨の使用制限や資産の凍結・没収などができる管理体制を確立するわけだ。

百姓の俺に直接かかわりのあるところでは、２０２４年1月、世界経済フォーラムの年次総会（ダボス会議）で耳を疑う発言が飛び出した。

それは、「アジアではほとんどの地域で未だに水田に水を張る稲作が行われている。水田稲作は温室効果ガス、メタンの発生源だ。メタンはＣＯ$_2$の何倍も有害だ」「農業や漁業は『エコサイド』（生態系や環境を破壊する重大犯罪）と見なすべきだ」（バイエル社ＣＥＯ）というものだ。

これを受けて、日本政府は早速「食料・農業・農村基本法」を改正し、従来の「食料自給率の向上」「食料の安定供給」「農業の持続的発展」「農村の振興」等の方針は全て撤回され、「食料安全保障」と「農業の環境対応」を掲げた。

これについて、三菱総合研究所は、「農業基本法改正の方向性と課題」というレポートの中で次のように指摘している。〈現行基本法までの考え方は、どちらかというと、農業は環境に良いというイメージで語られ、位置付けられてきた面がある。しかしながら、完全に局面は変わった。2021年5月に策定された「みどりの食料システム戦略」をより強力に発展させるかたちで、官民を挙げて食料・農業の環境対応を推進する必要がある。〉

この理念に則ると、今まさに欧州で大問題になっているように、げっぷをする牛を殺処分し、メタンガスを発生する水田を潰すことになる。

国はすでに、牛乳の生産量が過剰だとして、酪農農家に牛乳を破棄させ、牛1頭殺せば15万円の補助金を出している。お米も過剰生産だと言って、畑への転作に補助金を出し、日本のお米農家が60kgあたり約1万5000円かけて作った米を約1万円でしか買い取らない。その一方で、今度はバターが足りないと言って米国等から緊急輸入している。米国産のコメに至っては、60kgあたり約3万円で毎年30万t以上買い取っている。そして、この基本法の行き着く先は、「生産性の向上」と称して外資を含む大企業への農地の転売だ。

この法律改正案は、2024年2月27日、国会に提出されており、成立し次第施行される。こうして今年には、世界人類の管理ができる制度を確立し、来年（2025年）からは、実際にそれを運用しようと考えているようだ。

こうなると、全ての国民は、国家を超えたところからやってくる命令で行政や司法による強制措置、国家の警察や自衛隊などによる実力行使によって、有無を言わさず、人権も自由も剥奪されて奴隷化することになる。

グジャグジャ考えている時間はないってことだな。このような世界的圧力に個人で立ち向かうことは難しい。だからといって、一人でどっかの山奥に逃げようとしても無駄だぜ。命乞いして奴らに従っても奴らの都合でいつでも殺処分にあっちまうよ。

自分一人助かろうというようなチンケな考えなど持たず、自分が頑張ることで日本を守ろうと思う者は、日本人として身近な人と協力し、日本の伝統的正義を高らかに掲げること。それが唯一の対策だ。

だから先ずは自分が日本になれ。そして日本人として生きる場所をつくれ。家族や仲間と団結し、生き抜くための基盤をつくるんだ。あとはあいつらが自滅するまで耐えて耐えて耐えまくって日本を貫くだけだ。日本の歴史は俺たちにかかってい

師霊式道場での青少年稽古の様子

る。日本の歴史に俺たちの魂を刻もうぜ。

最後まで読んでくれてありがとな。

２０２４年４月

荒谷　卓

荒谷 卓（あらや・たかし）

元特殊作戦群群長。昭和34（1959）年、秋田県生まれ。東京理科大学卒業後、陸上自衛隊に入隊。第19普通科連隊、調査学校、第1空挺団、弘前第39普通科連隊勤務後、ドイツ連邦軍指揮大学留学。陸幕防衛部、防衛局防衛政策課戦略研究室勤務を経て、米国特殊作戦学校留学。帰国後、特殊作戦群編成準備隊長を経て特殊作戦群群長。平成20（2008）年退官。明治神宮武道場「至誠館」館長を経て、平成30年、国際共生創成協会「熊野飛鳥むすびの里」を開設。著書に『戦う者たちへ』（並木書房）、『自分を強くする動じない力』（三笠書房）、共著に『日本の特殊部隊をつくったふたりの“異端”自衛官』（小社刊）などがある。

日本の戦闘者

現代のサムライは決してグローバリズムに屈せず

2024年6月5日　初版発行

著者　荒谷 卓

発行者　佐藤俊彦

発行所　株式会社ワニ・プラス
〒150-8482
東京都渋谷区恵比寿4-4-9 えびす大黒ビル7F

発売元　株式会社ワニブックス
〒150-8482
東京都渋谷区恵比寿4-4-9 えびす大黒ビル
ワニブックスHP　https://www.wani.co.jp
お問い合わせはメールで受け付けております。
HPから「お問い合わせ」にお進みください。
※内容によりましてはお答えできない場合がございます。

装丁　新 昭彦（TwoFish）

DTP　株式会社ビュロー平林

印刷・製本所　中央精版印刷株式会社

Printed in Japan ISBN978-4-8470-7450-9